モノが壊れないしくみ

水野 操 ［著］

謎解き編（なぞとき へん）・・・・・・・・・・・・・・・・・・・・・69

序章

モノはなぜ
壊れないのか

「モノはなぜ壊れないのか」

私たちの身の回りのモノは案外壊れない

　私たちはモノに囲まれて暮らしています。特に現代の日本では、モノの洪水の中で暮らしていると言っても過言ではありません。現在はITをはじめとしてデジタル全盛の時代です。例えば本もKindleをはじめとする電子書籍の普及によって、本のコンテンツはデジタルな情報に置き換えられています。インターネットが私たちの日常になくてはならないものになった今、物理的なモノが次々にデジタルな情報に置き換わっている時代とも言えます。

　とはいえ、人間が物理的な存在である以上、物理的なモノなしに暮らしていくことはできません。例えば先ほどの電子書籍にしたところで、Kindleの端末やタブレット、スマホといった人間が手に取ることができる物理的な道具が必要です。

　さて、私たちの身の回りを取り囲む「モノ」ですが、よほどの粗悪品でない限りは、普通に使っていれば壊れることはありません。もちろん、絶対に壊れないモノはありません。どんなに強くて硬く見えるモノも無理をすれば壊れてしまいます。あるいは、ずっとなんの問題もなく使えていたのに、長い年月の後に壊れてしまうこともあります。ただ、家具店で購入したばかりのイスに座った途端に脚が折れたとか、座面が割れたということはありませんし、テーブルの上にモノを置いたら途中から折れることもありません。時々、本をため込みすぎた家で床が抜ける事故がありますが、普通は木造の家であってもいきなり床が抜けるなんて話は聞きません。

そのような壊れないモノに囲まれた日常を私たちは当たり前に送っています。もちろん、それは開発に関わるさまざまな人たちが、知識やノウハウ、経験などを駆使して作っているわけですが、どうやって壊れないように作っているのでしょうか。本書では、そんな、モノが壊れない背景を探っていきたいと思います。

 ## 同じモノでも壊れたり壊れなかったりする

筆者には今でも覚えているちょっと悲しい思い出があります。それは中学の技術の時間に作ったある作品で起きました。確か2年生の時だったと思いますが、作ったものを何かの学校イベントで展示することになっていました。その時の作品は小さな木製の折りたたみ式のイスでした。さすがに授業の教材なので、一見弱そうに見えるのですが、大人が座っても問題のないものでした。私も苦労しながら何日かかけて仕上げました。できはともかく、ちゃんと折りたたむことができるものができて後は展示するだけでした。

事件が起きたのはその時で、同じクラスの友達が「おっ、できたのかよ!」と言いながら勢いよく腰をおろした瞬間、私のイスは台座が「バキ!」という音を立てて真ん中から折れ、その友達は地面にしたたかに尻を打ち付けました。そもそも意地悪をしたとか悪気があったとかではなかったようです。彼の名誉のために言うと、その後徹夜で壊したところを直して持ってきたので。まあ、悲しかったし、怒りもあったのですが、ここでのトピックはそこで私の心が折れてしまったとかそういうことではありません。

さて、私が作って自分で座って何も問題がなかったイスと、クラスの友達が思いっきりぶつかるように腰をおろして壊したイスは同じものです。同じものなのに、なぜ、私が静かに座った時は大丈夫で、勢いよく腰をおろすと壊れてしまうのでしょうか？

　皆さんの自宅にあるイスとか、会社にあるイスではどうでしょうか？　おそらくですが、勢いよく腰をおろしても壊れることはないでしょう（実験される場合には、あくまでもご自分の責任でお願いします。筆者としては、それで怪我をしたとかイスが壊れたとか言っても責任が取れませんので）。なぜ、あるイスは勢いよく座っても大丈夫で、別のイスは壊れるのでしょうか。

　何となく自分たちの日常の経験から、静かに物体に力を加えるとおおむね大きな問題は起きず、逆に何か特に重たいものを勢いよくぶつけると、さっき大丈夫だった物体が壊れたり破損したりすることはわかるのではないでしょうか？　例えば、木製のテーブルの上にそっとボーリングの球を置いたとします。薄いテーブルトップであれば、若干たわみが見られるかもしれませんが、テーブルが破損する可能性は非常に低いでしょう。しかし、そのまったく同じボーリングの球を高さ2メートルくらいからテーブルの上に落としたらどうでしょうか？　テーブルトップは、私のイスのように折れてしまうようなことはないかもしれませんが、テーブルトップに大きな凹みが残ってしまうかもしれません。

　あるいは壁に自動車の正面がちょうど接している状態から、車のアクセルをふかすとします。車はアクセルをふかしている間、少しボディーは歪んだりするかもしれませんが、現象としては一向に前に進まない程度の状態でしょう。しかし、少し離れたところから車を走らせ、時速50キロで衝突したとします。自動車は

自動車事故か衝突実験で見られるように激しく破損し、ボディーの一部は衝撃でどこかへ飛んでいってしまうこともあるでしょう。

　これについても経験的にそれはわかりきったことでしょう？　と言う人もいるかもしれません。確かにそのとおりなのですが、でもなぜ、ここであげてきた例は、同じ物体でも力がかかる条件によってはなはだしく最終結果が異なるのでしょうか？　それをきちんと「説明」できるでしょうか？　そこがわからないとなぜ、モノはある時には壊れ、ある時には壊れないのかという謎解きをすることができません。

　本書では、このような基本的な疑問を考えるところから、モノの強さとか、なぜ壊れないのか、ということを考えていきたいと思います。

みんな知っておきたいモノの強さの秘密

　私が技術の時間に作ったイスはともかく、例えばホームセンターなどで売っている一番安いイスを買った場合でも、相当乱暴な使い方をしても壊れません。大人が座面で飛び跳ねても特に問題はおきないでしょう（お相撲さんだと壊れるかもしれませんが）。

　あるいは、プラスチック製の家電製品を使っている時、例えば電池を交換するとか、部品を交換するとかでカバーなどを外したとします。カバーくらいならともかく、複数の部品を脱着しなくてはならない時、部品のどれかを間違って取り付けてしまったとします。間違って取り付ける場合には、取り付けにやたら力が必要だったり、取り付けられたものの歪んでしまったりするのでわかります。す

ぐに気がついて外してもプラスチック製の部品の爪などが折れたりもせずに、元
の形に戻って再度使えたりします。

　大体において世の中の部品やそれらを組み合わせた製品は「安全」にできてい
ます。なぜ安全なのか、なぜ壊れないのか、ということをこれらの製品を設計し
た人たちは知っているからです。世の中には、人が想像できないような使い方を
する人もいますから、普通の使い方でない状態（もちろん使用説明書には、その
ような使い方をするなと記述してありますが）で使う人もいるため、そういう状
態でも人が怪我したり、製品が故障したりしないように強度を計算しているので
す。

　その設計者の人たちはどうやって、その製品が安全だとわかるのでしょうか。
実はモノの強度や安全度合いをはかる指標があります。設計の過程で、それらの
指標の数値が安全な範囲内に収まるように、製品が設計され、製造されているわ
けです。何か機械的なもの、形のあるものを作る時には、設計者がこれらの計算
をできることは間違いなく必要なことです。機械工学などを大学で勉強したりす
るとこのあたりの話を学びます。これらの「強さの秘密」のからくりをきちんと
学んで置かないと、私たちの身の回りは「危ない」製品たちだらけになってしま
います。

モノの強さの秘密を知ることはバランスの良いものを作るはじめの一歩

　せっかく買ってきた製品がバンバン壊れては困ります。いや壊れて困るくらい
ならまだ良いのですが、製品によっては、例えば自動車や航空機などの場合には
人命に直結します。

一方で製品というものは、強ければそれで良いというものでもありません。先ほど例に出した自動車や航空機を考えてみましょう。自動車は開発の工程で多くの試験が行われています。衝突試験などもその一つです。そこで十分にテストされ、比較的小規模な衝突などでは人命が守られるように年々進化してきています。それにも関わらずやはり事故が起きれば被害は決して少なくはなく、運転手や乗客が死亡する事故はなくなりません。ならば、乗り物そのものを、もっと強くはできないのでしょうか？　実は、技術的に考えれば、強くするだけなら簡単です。例えば、戦車のような装甲の自動車にしてみたら、少々の衝突では外装が破損する程度でしょう。

　単に強度を上げるという意味では、確かにオプションの一つなのですが、その解答が現実的かといえば必ずしも、そうとは言えないのです。強度を上げるためのさまざまなやり方は本書の中で説明していきますが、ぱっと思いつくのは、もっと強度のありそうな材料にするとか、同じ材料ならもっと分厚くしてみる、などのことが考えられます。でも、それは現実的ではありません。例えば自動車のボディーの板を分厚くてもっと頑丈なものしたらどうでしょう。自分の自動車のボディーの肉厚が厚さ 15mm だったとします。非常に頑丈になるでしょう。

　でも、この方策が採用されることはありません。端的に言えば、重たくなってしまうのです。強くすればするほど非現実的なほど重たくなります。重たくなればその自動車を同じように動かすためにもっとパワーのあるエンジンが必要で、ガソリン車なら燃料となるガソリンは、もっと必要になります。電気自動車であれば同じバッテリーの容量で走れる距離は短くなります。要するに燃費が悪くなるのです。飛行機であれば、重すぎれば飛ぶことすらできなくなってしまうかもしれません。使用する材料が増えれば材料費が高くなり、つまり製品のコストも

高くなります。この観点からは軽ければ軽いほど良いわけです。もちろん求められる強さは維持したまま。

　だから製品開発に関わる人たちは、日々いかに求められる強度を維持しつつ、軽く安価に作るかという、相矛盾することに日々格闘しているわけです。

誰もがモノの強度について知っておいた方が良い理由

　ところで、モノが壊れない理由について、その中身を知っておくのは工業製品の設計者だけでよい、というわけでもありません。確かに大学で習うような高度に学問的な内容は、その分野の専門家だけで良いかもしれません。しかし、モノに関わるのは設計者だけではありません。製品を製造する人や保守をする人、さらにはその製品を使うユーザーとなる人たちまでさまざまですが、どの立場の人も少なくともコモンセンスとも言えるものは備えておいた方がよいでしょう。

　最近、日本の製造業の品質とか設計や製造の現場力が囁かれることが増えてきています。例えば 2017 年に話題になった新幹線のぞみ号の台車に亀裂が入った問題を考えてみましょう。その新幹線のぞみ号の台車の亀裂が、実は製造時に現場の担当者が台車の底面を削ってしまい、8mm なくてはいけないところが最も薄いところで 4.7mm にまでなっていたことが原因だったという報道がされていました。製品開発をしていると設計しているものがかならず作れるとは限りません。製造不可能なもの、あるいはできても非常に困難でコストの高いものになってしまうということは珍しい話ではなく、そこに設計部門と製造部門のせめぎあいがいつも起きています。しかし、今話題にしたいのはそのことではなく、保守をする現場でやるべき処理がなされていなかったことが、結果的に設計強度を大

きく下回る結果になってしまったということです。このことに限らず、モノを作る現場、建物を作る現場では「現場合わせ」とよばれることが行われることがあります。設計の指示どおりにするとうまく組みあがらない、しかし、設計部門に確認をしている暇がないなどの時に現場で調整してしまうことです。通常は致命的な問題になることは多くありません。しかし、現場では例えば「本当にこの部分の厚みを薄くしても大丈夫か、なぜその厚みにしているのか」ということについてしっかり考えれば壊れなくてよいはずのものが壊れる、ということにはならないのではないでしょうか。別に専門家でなくても薄い板よりは厚い板のほうが強度はあるということは直感的にわかるでしょう。直感的にわからないのは寸法をどのくらい薄くしたら、どのくらい強度が落ちるのかということです。製造側の都合で何か大きく変更しなければならないのなら設計ときちんと話すべきですが、その際にモノの強度ということについて基本的な理解があれば、話がしやすいといえるでしょう。

　もちろん工業製品としての強度とか軽さなどは、設計をするエンジニアが考えることです。しかし、製品を使う普通のユーザーとして、皆さんは、なぜこの物体はこんな構造をしてるのだろうかとか、なぜこのような材料を使っているのだろうかという疑問を持ったことはないでしょうか？

　そのような疑問を深掘りしていくことは無駄なことではないと筆者は考えます。私たちが日常手にする製品はまともな使い方をしていれば壊れないどころか、相当無茶な使い方をしても大丈夫なように作ってあることも珍しくはありません。ある種の過剰な安全性を持っていると言えるのかもしれません。しかし、いくら安全な製品を私たちが使っているとはいえ、壊れるメカニズムを知っておくことで、より安全な使い方ができるようになるかもしれないと筆者は考えます。

危なくない使い方をするためにも、モノの強度のしくみを知っておくことは大事だと思います。

　もう一つ筆者が感じているのは、現代人の多くが「モノを作る」という行為から縁遠くなってしまっているということです。そのためモノの強さというものに対して感覚がなくなってきているような気がするのです。筆者はごくごく普通のサラリーマンの家庭に育ちましたが、子どものころは、テレビで見た流行りのおもちゃをねだっても買ってもらえることの方が少なかったですし、そもそもおもちゃの種類も今ほどなかったような気がします。だから、私だけでなく周りの友だちも含めて、自分たちが遊ぶためのおもちゃは手近な素材を集めてきて自作していたことが多かったように思います。自分たちでさまざまな素材を集めて、ハサミやナイフで加工し、曲げたり、接着したりなどいろいろなことをやる過程でうっかり力を掛けすぎて素材を破損させてしまうことは珍しくありません。さらにせっかく完成した最終製品もまともに使えないまま、あっさりと壊れてしまうこともよくありました。でも、そのような経験からどうすればモノが壊れるとか、何をやると危ないという感覚を自然に習得したと思うのです。長じて、大学に行って工学を学んだ時に長年の謎とか、自分が直感的に理解していたことが、なぜそうなのかロジックをもって理解することができるようになりました。

　さて、私たちの身の回りの製品が高度化するにつれて、使い手と作り手が分断されてしまった現在ですが、3D プリンターの登場とともに少しだけですが風向きが変わってきた気がします。筆者は自分の職業柄、2012年の3D プリンターブーム以前から、工業用の 3D プリンターに関わってきました。ところが、3D プリンターブーム以降、安価でありながら少なくとも趣味用途であれば、なんとか耐えうる 3D プリンターやそのためのデータを作る道具が普及してきました。それ

とともに、これまでの伝統的な製造業以外の人たちもモノづくりに参入し始めたのを目の当たりにしています。

　昨今の 3D プリンターブームのおかげで、これまでモノづくりから離れていた人たちももっと手軽に小さな規模のモノづくりに参入できるようになったのです。そして、これまでの大量生産大量消費の時代では実現しえなかったようなユニークな製品が生み出される土壌にもなっています。ずっと、製造業に関わってきた筆者として嬉しいかぎりなのですが、一方で「素人のモノづくり」が引き起こす危険性も忘れてはなりません。大学の理工学部で学ぶにしろ、あるいは現場で、たたき上げで学ぶにしろ、ある程度下地があれば「危ない」ことについては見当がつきます。でも、何らの知識も経験もなければ非常に危ないものを悪意なしに作ってしまうことが考えられます。

　筆者が最初に自社の製品として製造したのは CFRP（カーボンファイバー複合材）製のアタッシュケースでした。CFRP は強度と軽さが同時に求められるレース用の自動車や航空宇宙産業でかなり前から用いられています。ボーイング 787 旅客機に使われているのを知っている人も多いかもしれません。コストはかかりますがそのコストに見合う効果は充分にあるのです。ただ、何やら CFRP はやたらに強いので何をやっても壊れないと勘違いしている人もいました。実際筆者も「そのアタッシュケース、ビルの 10 階から落としても壊れないんでしょう？」と無邪気な質問をされたこともあります。もちろん、そんなことはなく壊れます。質問だけなら良いのですが、そんな感覚でモノを作られてしまうことは怖くありませんか。座ると壊れるイスができてしまうかもしれません。

数年前のあるイベントでは、おがくずの至近距離で投光器を使ったことが原因と考えられる火災事故がありました。これは物理的な強度ではなくて熱の問題でしたが、基本的には同じことです。「熱」ということについて基本的な理解が及んでいなかったかもしれないということが、悪気がなかったとしても悲惨な事故を起こしたのだとすれば、「力」同様に基本的な理解を知っておくことは、危ないものを作らないだけでなく、危ないものに近づかないという、安全な日常につながるのではないでしょうか。

　筆者は自分の生業の一つとして構造解析の仕事をしています。構造解析とは、簡単に言えば、さまざまな工業製品や建築物などで、その部品や製品がどのくらい変形するのか、かかった荷重で壊れないのかなどを、ソフトウェアを使って計算することです。その結果を使ってもっとよい設計にするのです。構造解析は強度解析といわれることもあります。別に強度だけを計算しているわけではありませんが、やはり強度についての計算が多いのは事実です。

　また、大学の理工学部で教えたり、一般の人向けにモノづくりの教室をやったりすることがあります。そんな時、もっとわかりやすく強さのことを伝える本などがないかと探してきました。実際探してみると、わかりやすくモノの強さを伝える本が存在していました。例えば、「STRUCTURES: OR WHY THINGS DON'T FALL DOWN」（J.E. Gordon）などです。これは非常に良い本で、Kindle 版も安価に提供されているので英語に抵抗のない人はぜひ手にとっていただきたいです。ちなみにこの本には「構造の世界：なぜ物体は崩れ落ちないでいられるか」という和訳本も存在しているし、さらに同じ著者の「強さの秘密－なぜあなたは床を突き抜けて落ちないか」という和訳本もあるのですが、どちらもすでに中古でしか入手できず、非常に高価になってしまっています。

今、求められるのはそんなベーシックなことがわかる基本的な本ではないかと思いました。そして、実は他にもそのような一般教養的な本がないかと色々探しましたが、しっくりとくるものが見つからなかったので、自分で書いてみようと思いました。

　できるだけ楽しく読める読みモノとしつつ、基本的な知識が得られるように書いたつもりです。

　この本の前半部分では、どのような物体や構造物であっても共通して適用できる考え方を説明しています。少々無味乾燥と思えるかもしれませんが、基本的な考え方をわかっておくと、色々な構造物を見ても自分なりに「あの構造物はどうしてあの重量に耐えられるのだろうか」とか「どうしてあの製品はあんな構造をしているのだろうか」ということが、誰かに説明を受けなくてもわかってくるようになるかもしれません。

　本書の後半部分では、前半で学んだ基礎知識を元にして、身近な製品や構造物を取り上げて、なぜそのような作りになっているのかということを探っていきたいと思います。その後半部分では、3つの強さの要因について考えてみたいと思います。1つ目が材料の強さそのものによるもの。2つ目は、構造がもたらす強さ。そして3つ目は荷重のような力が持たらす強さです。実際の製品では強さの要因は組み合われていることも多いのですが、しくみを考えるためにわけて考えます。
　また、現在のモノづくりでは、製品は実際に作られる前に、その製品は「本当に壊れないのか」とか「本当に設計したとおりのパフォーマンスで動くのか」といったことを、事前にコンピューターでシミュレーションしています。以前は、

コンピューター上で製品そのものをシミュレーションできたのは、大手の製造業だけでしたが、現在はコンピューターの進化とソフトウェアの低価格化によって身近なものになってきています。せっかくなので、本書においては、それぞれの問題に対してしくみを説明するとともに、可能な限りコンピューターでシミュレーションを行い、その結果を合わせて示していきたいと思います。

　なお、本書では、材料力学などを中心にマクロな視点で説明を試みています。しかし、実際にはミクロな視点にまで踏み込まないと、物体が壊れることは説明しきれないかもしれませし、また、モノが壊れる理由は複合的で単一の理由ではないことも少なくありません。しかし、本書ではそれを承知で、できるだけ単純化して説明しようと試みました。

　シミュレーションも、本来、実現象をコンピューターのシミュレーションで行うことは、データの設定自体が難しいことが少なくないのですが、できるだけ単純化した形で実施してみました。

　知識のある方からすると正確さに欠くと思われるところもあるかもしれませんが、あくまでも本書では実際の現象とその背景にあるものに興味を持っていただければという視点で書いていることをご理解いただければと思います。

　それでは、ぜひ「モノの強さの秘密」を楽しみながら学んでいきましょう。

基礎知識編

モノはなぜ壊れないのかを探求する前に、力って何なのか、物体は力によってどんな影響を受けるのかといった基礎知識を学びましょう。

モノの強さを知る材料力学

この本では、実際に私たちの身の回りにあるものを題材にしながら、モノの強さの謎解きをしていきたいと思います。でも、その前に謎を探求するための必要最小限の武器、つまり構造物の強さを解き明かしていくための基礎知識を学んでいきましょう。

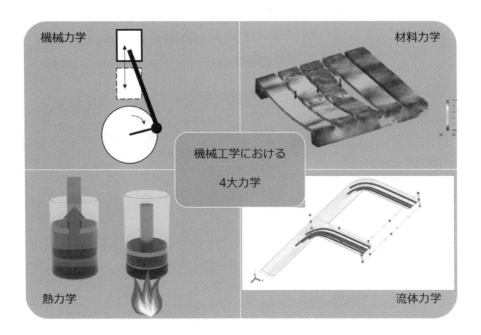

機械力学

材料力学

機械工学における

4大力学

熱力学

流体力学

安全なものを作る秘密：材料力学

　いきなりですが、材料力学という聞き慣れない言葉の話から始めたいと思います。というのも、材料力学を知ることは、モノの強さの秘密を知るためにとても役に立つからです。でも、その前にちょっとだけ他の「力学」のことを話したいと思います。私たちは普段から何らかの種類の「機械」、つまり動くものを使っていますが、機械を作りたい時に必要な学問が「機械工学」です。その機械工学では、さらに4つの学問を学びます。

● 機械力学

　1つ目が「機械力学」です。機械力学とは、機械のさまざまな部品が動作（運動）する時に生じる「力」を扱う学問です。機械は歯車やカム、ベルト、リンクなどさまざまな部品の組み合わせで動作が実現しています。例えば自動車のエンジンは、燃料の燃焼で作られた力がピストンを押し、多くの部品を経由して自動車の車軸を回転させるわけですが、きちんと設計されていないと車軸は回転しませんし、あるいは途中で壊れてしまいます。なので、ちゃんと動く機械を作りたい人は、機械力学を勉強する必要があります。

● 熱力学

　2つ目が「熱力学」です。熱も実は物理的に何かを動かすような仕事をします。もっと専門的に言うと、熱と仕事は交換しうるなんていう難しい言い方になりますが、蒸気機関とか、もっと身近なものだと、例えば沸騰したやかんの蒸気も蓋を持ち上げる力を持つことが可能です。要するに熱と力の関係を考える学問ということになりますが、これも機械工学を構成する学問の一つです。

● 流体力学

　３つ目が「流体力学」です。流体力学も機械を設計する上で欠かせない学問です。例えば、自動車や飛行機などは、高い性能を得ようと思えば、できるだけ空気抵抗が少ない設計にする必要があります。また、ブレーキや飛行機の方向舵、補助翼などを制御するためには油圧機器と呼ばれるものが使われます。パソコンなどのような家電製品も効果的に放熱できるような空気の流れを考える必要があります。

● 材料力学

　さて、ここまで見てきて気がついた人がいるかもしれませんが、これまでにあげた３つの力学には「物体の強さ」をはじめとした、材料の性質そのものを扱った学問がありません。実はこれが「材料力学」という学問なのです。機械力学では、部品から部品へ力がどのように伝わるのかを調べることができますが、それらの部品は「変形しないもの」と考えます。でも、実際には違いますよね。どんなモノも大なり小なり凹んだり曲がったりします。その凹んだり曲がったりを扱うのが「材料力学」なのです。

　材料力学は、これまで述べてきた３つの学問と比較すると応用できる範囲がとても大きな学問と言えます。例えば、ホームセンターで木材や金具を買ってきて本棚やテーブル、あるいはイスなどを作るとします。動く部品がないので機械力学は関係がなさそうです。熱力学や流体力学も関係がなさそうですね。でも、材料力学は関係があるのです。材料力学を使うと、その部材のどこにどの程度の力が加わると、どの程度曲がるのか、あるいは壊れるのか壊れないのかということがわかります。

　家族のためにイスを作ったのは良いけれど、壊れて、座った人が怪我をしてしまうと大変ですね。逆に、とても頑丈な本棚を作ろうと厚さ５センチの鉄の板

を組み合わせて作っても、そんなに頑丈な本棚いらないというようなものができてしまいます（現実の設計でもむやみに強く作るのは「過剰設計」なんて言ったりもします）。それに下手をすると重すぎて家の床が抜けるかもしれません。

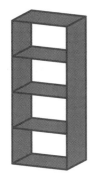

すぐ壊れる物体
ごく薄いベニヤ板製の本棚

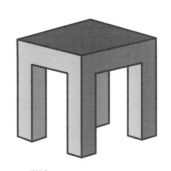

やたら頑丈すぎる物体
厚さ 10 センチ、足の太さ 10 センチ角のイス

　そんなことがないような、ちょうどよく安全なものを作るための土台となる知識が「材料力学」なのです。その応用範囲は、皆さんの趣味のものづくりから、自動車、航空機、建物などあらゆるものに広がっているのです。

　材料力学を知っているべき理由は色々あります。一つは、知識を持っていることで設計用の図面（最近では図面ではなくて、3D CAD と呼ばれるソフトを使って、コンピューター上で最初から立体を作りますが）を作っている最中に、実物を作る前に、その製品が安全なのかを確認することができることです。

　もう一つは、作った部品が壊れてしまった時に、なぜ壊れてしまったのか、ということを推測することができることです。

　また、本書の目的のように、純粋に知的な興味として、なぜあの物体は壊れないないんだろうということを類推するためにも使えますね。

「力（ちから）」ってなんぞや

材料力学なるものが、ちょうどよく安全なものを作るためにとても役立つ学問であることはお話ししました。ところで、ものが変形したり、ひどい時には壊れたりするには、何かの「力」が加わる必要があります。この材料に与えられる「力」について考えてみます。

力（荷重）ってそもそもどんなもの

　本が一冊もない本棚は棚板も曲がりませんが、ぎっしり詰まった本棚はよく見ると棚板は曲がっていたりします。これはたくさんの「本」を通じて「力」が棚板に与えられたからです。このように、本棚を曲げる作用をするのも力ですが、力はものを変形させるだけではありません。何かを押して、場所を移動させるのも力ですし、カバンを持ち上げることができるのも力ですね。つまり、物体を変形させたり移動させたりすることができるのが「力」というわけです。ちなみに、物体がどう移動するのかを考えるのは機械力学の範疇になります。

　そのように物体を変形させるような外部から加わる力を、もう少し専門的な言葉でいうと「荷重」と言います。また、外側から働く力であるため「外力」とも言います。

　さて、ここでちょっとだけ難しい話をします。物体の状態を表す数字にはさまざまなものがありますが、その中には「大きさ」だけを持っているものと、「大きさと方向」を持っているものがあります。例えば「温度」を考えてみましょう。部屋のこの部分の温度は 20 度と言うことはできても、方向を持っている温度というものはありませんね。このような大きさのみを持つものを、難しい言葉で「スカラー」とも言ったりします。

　今度は「力」を考えてみましょう。大きくしなる薄い板があったとします。その板の片側を壁に固定して、もう片方の端を上から 1 kg の力で押したとします。当たり前ですが、板は下にしなります。逆に下から同じ力で押したら、今度は同じ量ですが上の方向にしなりますね。また、1kg の力ではなくて、500g の力であれば、しなる量は半分になります。何を言いたいのかというと、力にはその大きさだけでなく作用する方向がある、ということです。このように「大きさと方向」があるものを「ベクトル」とも言います。

あと、もう一つ物体に力が作用する際に重要なのか、その力はどこに作用しているのかということです。先ほどの 1kg の荷重を考えてみましょう。先端に力が作用する時と、根本近くに力が作用する時とでは、しなる量が異なります。つまり、どこに作用するのかで物体の変形も変わってくるわけですね。力が働く点のことを「着力点」、あるいは「作用点」と言います。物体にかかる「力」あるいは「荷重」を表現する時には、大きさ、方向、着力点（作用点）が大事だということですね。

 ## 反力について

さて、荷重がわかればこれで力の問題は大丈夫と思いたいところですが、ここで「反力」なるもののこともお話しておきたいと思います。反力って言葉の感じから、ある方向に力がかかっているから、何かその反対の力かなって思ったりもします。まあ、その感覚は概ねあっているでしょう。

ここで簡単な例を出したいと思います。マンションの一室があって、その中にテーブルが一つあるとします。そして、あなたはちょっと行儀が悪いですがテーブルの上で座禅を組んでいるとします。深い瞑想状態のせいか、あなたはピクリとも動きません。さて、この状態の時、あなたに外力はまったく働いていないのでしょうか。

結論から言うと、常日頃から「重力」という力が働いています。試しに急にテーブルも部屋の床もなくなってしまったとしましょう。あなたは宙に浮いているわけもなく落下してしまいます。でも、床やテーブルがあるというだけで、あなたはその場に静止していることができます。これはどういうことかというと、地球の中心に引っ張ろうという重力と言う外力に対抗する力が存在しているということなのです。この力のことを「反力」と言います。

テーブルは、あなたが上に乗っかっていることで、あなたの重さと同じ荷重で

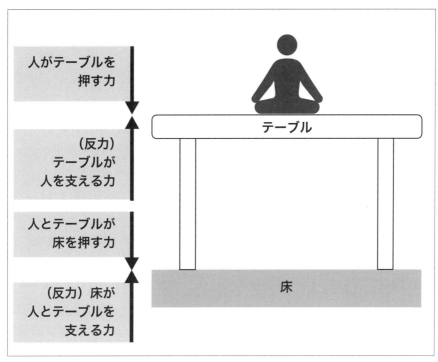

人がテーブルを
押す力

（反力）
テーブルが
人を支える力

人とテーブルが
床を押す力

（反力）床が
人とテーブルを
支える力

テーブル

床

力と反力の関係

押しているわけですが、テーブルはテーブルであなたを同じ力で押し返している
わけです。また、マンションの部屋の床は、あなたの重さとテーブルの重さを足
した重さと同じ力で押されていますが、同時に同じ力で押し返しているわけです。

　つまり、物体が静止している状態というのは、この押す力と押し返す力、つま
り反力が釣り合った状態といえます。ちなみに、空中を飛んでいる飛行機でも同
じような関係が成り立ちます。

力の単位について

　ところで、「力」の表現方法に、特に単位についてもう一つ説明しておきたいことがあります。先ほど、板に「1kg の力」が作用したという表現をしました。でも、これは厳密には正しい表現ではありません。あえて言うなら「1kg 重（kgf）の力」ということになります。「kg」とは質量の単位であって荷重の単位ではありません。この例の典型的なものが体重です。私たちはごく普通に体重が 60kg ですという言い方をします。でも、本来 kg とは「質量」の単位なのです。で、その質量とは何かなのですが、簡単に言ってしまうと、その物質の動きにくさの大きさです。もう少し難しい言葉で言うと「慣性」の大きさのことです。この質量は宇宙のどこにいても同じです。でも、体重に代表される重量は、地球だと 60kg 重、月だと 10kg 重になります。ちなみに、宇宙空間では 0kg 重になってしまいます。これは、それぞれの場所によって、作用する重力が異なるからです。重さを示す単位は、つまり力ですが、力と質量という 2 つの異なるものが同じ単位では区別がつかなくなってしまいます。そこで、国際単位系(SI 単位系)では、力を N（ニュートン）という単位で表現しています。

　では、先ほどの体重が 60kg 重の人の重量は、何 N なのでしょうか。これは地球の重力加速度をかけてやるとわかります。地球の重力加速度は、約 $9.8m/s^2$ なので、60 x 9.8 = 588N ということになります。

　日常生活の中で、N という単位を使うことは、ほぼありませんから馴染みがないのも無理はありません。ただ、N は機械を設計する際の計算で使用するので、覚えておいてください。世間的に言う、1kg 重は、約 9.8N、面倒臭ければ、乱暴ですが四捨五入して 10N と考えれば、変換に戸惑うこともないと思います。

モーメント（物体を回転する力）

　力については、だいたいわかってきましたがもう一つだけ考えたい力があります。力というのは直線的に押したり引いたりするだけではありません。世の中には回転させる運動もたくさんあります。例えば水道の蛇口をひねる時などは回すような力をかけます。また、意図して回転させなくても回転する力がかかる時もあります。例えば、次ページのようなお父さんが腕を伸ばして、その腕に子どもがぶら下がっている状態を考えたいと思います。子どもの体重は 25 キロだったとします。その結果お父さんは、この子どもの体重の 25 キロを支えるために、25 キロの反力で押し返していることになります。子どもが静止したままということは、外力としての子どもの体重とお父さんが支えるための反力が釣り合っているということが言えるわけです。

　でも、お父さんにかかる力はそれだけではありません。お父さんが子どもを支えきれない時、お父さんはどうなるでしょうか？　腕が折れるなんてことはなくて、腕が肩関節を中心に回転するように下げおろす動作になるのではないでしょうか。これは腕の先端にぶら下がった子どもの体重がお父さんの腕を、肩関節を中心に回転させるような力として作用しているということになります。この回転させる力がモーメントですが、お父さんが支えている間は子どもが発生させているモーメントに対して肩関節に反モーメントが働いているということですね。

　よく考えたら建物なんてそんな構造だらけですね。柱と梁、床などの構造を考えてみれば、部屋の中央に人がいたら、柱にはモーメントがかかるのが想像できますね。どの程度の荷重かだけでなく、どの程度のモーメントがかかるのかも物体の強さを計算する時に大事な要素なのです。

モーメントの大きさは、荷重の大きさだけでなく、物体を支える支点からの距離にも依存します。計算方法は単純な掛け算です。

モーメント＝力 x 支点からの距離（腕の長さともいいます）

腕の長さが長くなればなるほど、モーメントの大きさは大きくなります。例えば、あなたが子どもでお父さんの腕にぶら下がるとします。肩にぶら下がったら、モーメントの計算のアームの長さは 0 なので、お父さんはあなたの体重だけ支えればよいということになります。ところが、曲げた腕の肘あたりにぶら下がったらどうでしょうか（肩関節は固定しているものとします）。お父さんはあなたの体重とお父さんの二の腕の長さをかけた分だけのモーメントも支えないといけないので、より辛い状況になります。このようにモーメントは腕の長さにも影響されます。

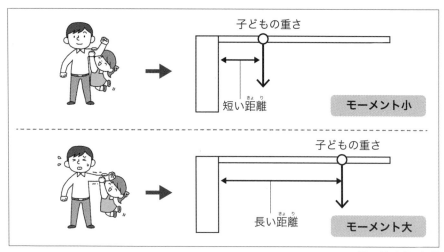

モーメントについて

先ほど、荷重の単位は N（ニュートン）であると言いましたが、モーメントの単位はどうなるのでしょうか。単純な掛け算なので、想像がつく人も多いと思いますが、荷重の N と長さの m をかけることになるので、「Nm（ニュートンメートル）」という単位が使われます。

　さて、力については、まだまだお話しをしなければならないことがあるのですが、この本は材料力学の解説書ではないので、次の章ではこの章で話をした外力（荷重やモーメント）と物体の中に発生する力を結びつけていきたいと思います。

Part3 色々な力

Part2 で、私たちが地球上では重力で引っ張られているにも関わらず落ちていかないのは、床などの構造物が私たちを支えているからだとわかりました。ここでは、さまざまなモノが受ける力の種類について、もう少し考えてみたいと思います。

32

力の釣り合いについて、もう少し考える

Part2 で座禅をしているあなたを支えるテーブルの話をしました。重力とあなたという存在で発生した力をテーブルが反力で支えているわけですし、部屋の床は、あなたによって発生した力とテーブルによって発生した力の合計を、反力で支えているということです。ミニマリストでもない限り、部屋の中には、たくさんのものが置かれていて（部屋の中が乱雑な人はギクッとするかもしれませんね）、つまり床は実にたくさんの力を反力という形で引き受けているわけです。

さて、ここから少しその床自体のことを考えていきたいと思います。

時々、ニュースになる話として、蔵書がものすごくたくさんある人の床抜け事故があります。あるいは、木造の一戸建ての２階に床を補強せずにグランドピアノを置いたら、どうも床がたわんでいるみたいな話を聞いたこともあるかもしれません。実際に起きる起きないはともかくとして、どちらも十分に可能性のある話です。本というものは本当に重いですよね。引っ越しの際などに間違って大きなダンボールに大量の本を詰めようものなら、持ち上げることができなくなってしまいます。大きめの本棚にたくさんの本を詰め込んだら棚板がたわんでいたこともあるでしょう。

さて、そんな蔵書家のあなたの本棚が置かれていた部屋の床が突然抜けたとします。現象としては、床が壊れたということですが、力の釣り合いの観点から考えると、何からの理由で突然「反力」が失われて力の均衡が崩れたということになります。そして、本と本棚は、あらためて力の均衡がとれる状態になるまで重力の方向に移動し続ける（落ち続ける）ということになります。

ここで起きた出来事をまとめると、
・**本や本棚を支えていた床が壊れていない＝力の釣り合いがなりたっている**

- **本や本棚を支えていた床が壊れた＝力の釣り合いが失われた**

ということになりますね。では、なんで突然、床が壊れてしまったのでしょうか。ということで、本書で解明していきたいことでもある物体の強さにつながる、部材と力の関係について考えていきたいと思います。

 ## 部材が受ける力とは

　床が抜ける（壊れる）話をするまでは、テーブルにしても、本棚にしても、床にしても「変形しない」という想定でお話をしていました。少し難しい言葉で言うと「剛体」という言葉を使います。剛体という考え方をすると、その物体の中に発生する力、などを考えないで済むので、例えば、自動車のワイパーのような棒と関節のようなもので構成された機構の動きなどを考えたりする時に楽なのです。

　でも、この本で私たちは、ものが壊れることを考えていく必要があるので、剛体という概念だけだと先に進むことができません。そこで、ここからは、物体が「変形する」ということを考えていきたいと思います。ちなみに、このような物体は「変形体」と呼びます（そのままですね）。

　それにあたって、まず物体が受ける力の種類を考えてみたいと思います。ここでは、話をわかりやすくするために一本の棒を考えてみましょう。というのも、「材料力学」では、物体の挙動を見る時に力の流れというものを考えて計算をしていくからです。

1) 引張りと圧縮

　1つ目が棒の軸方向にまっすぐかかる力です。棒を引き伸ばす方向にかかる力は「引張り」ですし、縮めようとする方向にかかる力は「圧縮」です。

引張り

圧縮

力

エアコンの室外機がマンションの上の階のバルコニーの天井からぶら下げられている場合、それを支える棚板は天井からぶら下がっている4本のフレームのような棒で支えられているので引張りの力が働いています。

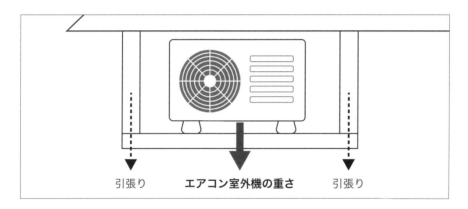

引張り　　エアコン室外機の重さ　　引張り

圧縮の例の一番簡単なものは、散々取り上げた座禅をするあなたを支えるテーブルの4本の脚です。どちらにしても目に見えるような伸びや縮みは起きていないはずですが、そのような力が働いています。

2) 曲げ

　世の中の実際の構造物では、純粋に引張りのみとか圧縮のみの力しかかからないというケースは、そんなにないと思います。そんなに都合よく、軸にぴったりの方向に力なんてかからないからです。ほとんどの場合、斜めだったり、ずれた方向から力がかかります。ここでまたもや座禅をするあなたとテーブルに登場していただきます。

　テーブルの大きさはそこそこあるとして、あなたはその中央で座禅をしています。さて、ここでのポイントはテーブルの脚です。ここで考えるのは、ごく当たり前の4つのコーナーに脚があるケースです。テーブルトップはあなたが座っている中心を最大の量としてたわんでいるはずです（実際には、目で確認することはできないと思いますが、どちらにしてもそんな人が座った程度で大きくたわんでしまうテーブル使いたくないですね）。

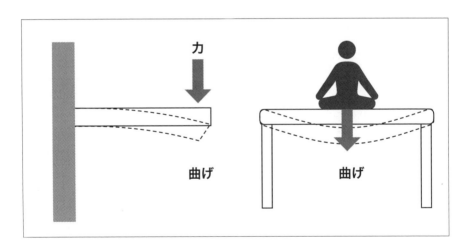

力

曲げ　　　　　　曲げ

またテーブルの脚も実はまっすぐ縮むわけではなくて、真横から見ると、水平方向にたわんでしまうような変形をしてしまいます。つまり、曲げられてしまっているわけですね。実は、世の中、このような「曲げ」の力がかかるケースはとても多くて、いかにこのような曲げの力に対抗できるかということが大事になってきます。というのも、今回扱っている棒のような形状を始めとして「曲げ」に弱いものは多いのです。例えば、割り箸を考えてみましょう。割り箸の両端を掴んで、引張って破壊せよ、といってそれができる人はほとんどいないでしょう。しかし割り箸を曲げて折ってしまえといったら誰でもできるでしょう。

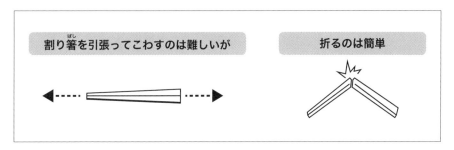

割り箸を引張ってこわすのは難しいが　　　折るのは簡単

　曲がらないようにするのはある意味で簡単です。例えば、テーブルの脚で言えば極端に太くしてしまえばよいのです。でも、そんなことをすると、とてつもなく重たくなってしまうものがたくさんあります。むやみに頑丈にすると飛べない飛行機とか走れない自動車になってしまいます。また、走る必要のない建物だって、頑丈にしすぎたら今度は自重でたわんでしまうということもありえます。

　世の中の製品は、どれも「強度」を保ち、できるだけ変形しないようにして、でも重たくならないような苦労を日々しているわけです。それらの「工夫」についBは後ほどお話をしたいと思います。

3) ねじり

　次に考えてみたいのが「ねじり」の力です。例えば、ネジを締める時のドライバーを考えてみましょう。ネジを回しはじめてしばらくは、特に抵抗もなくネジ穴にはまっていくので、ドライバーの軸のほうにも特に大きな力はかかりません。ところが、ある程度ネジが締まった後に、さらに外れることがないように念を入れて、力を込めて締めると、自分の手にも一気に力がかかってくることがわかります。この時の力をあなたの手に伝えているのはドライバーの軸ですが、いったいなんの力を伝えているのでしょうか。

　押したり引いたりしているわけではないので引張りや圧縮ではありません。また曲げるような力でもないので曲げでもありません。伝えているのはぐるぐると軸回りに回転させる力です。この力が「ねじり」です。「トルク」という言葉をご存知の方もいると思います。機械などにはモーターがついていて軸を回転させたりしますが、そのような回転軸廻りの力を「トルク」と言ったり「ねじりモーメント」と言ったりするのです。

　この「ねじり」は何も回転軸のようなものだけに発生するわけではありません。例えば、室内物干しです。そして実際に筆者の家で起きたことですが、図のような形状の室内物干しの棒にあまりにも大量の洗濯物を干してしまいました。まず、棒がたわむことは想像がつくと思います。ところが大きく歪んでしまったのは、棒ではありませんでした。両端の棒を支える板がねじれるように歪んでしまったのです。支えの板には曲げのモーメントと棒が回転するようなねじりの両方を受けていたということになります。

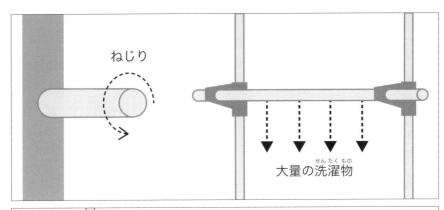

ねじり

大量の洗濯物

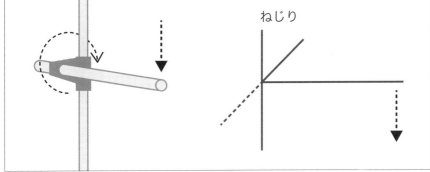

ねじり

4）せん断

　最後に「せん断」という力についてお話をしたいと思いますが、その前にあらためて「曲げ」を考えてみます。すごく単純な例として、両端が固定された棒があって、その中央に「曲げ」荷重がかかっているとします。少し大げさに表現すると、扇形に変形します。さて、この曲がった状態でいきなり真ん中から半分に切ってしまったとします。この状態で切ったとすると固定側には発生しているモーメントと釣り合いを取らないといけないので逆方向のモーメントが発生していることになります。これで釣り合いがとれます。

ところで、もう一つ考えないといけないのが、「せん断」という力です。せん断というのは断面に沿うように働く力、あるいは「ずらす」ように働く力です。実は、棒をたわませるような変形の場合には、「曲げ」と「せん断」の両方が働いているのです。せん断は物体をハサミで断ち切るような力という表現をされますが、実際、ハサミは「せん断」を利用して物体を切断する道具です。紙、特に厚紙を「引張り」で引きちぎろうとしたらものすごい力が必要ですね。でも、ハサミで断ち切るとか手で破るのは簡単です。

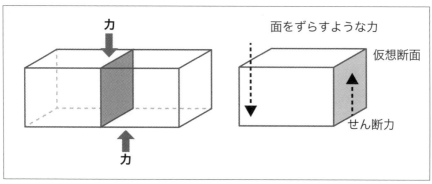

このように、物体には「引張り」「圧縮」「曲げ」「ねじり」「せん断」というようにさまざまな力が働いています。どれか一つだけが働いているわけではなくて、組み合わさって、しかも色々な方向から作用しています。「強い」製品を作ろうと思ったら、まずその製品に対してどんな力がどこに、どのように作用するのかということを知ることが必要なのですね。私たちが身の回りで使用している製品は、そのようなことを考えられて作られていますし、逆に私たちもそのことを知れば、その製品の強さの秘密がわかる、ということになります。

Part4 物体の中に働く力

ある外力に対してその物体がどんな風に動くのかはわかりました。しかし、力によってその物体がどんな風に変形するのか、あるいは壊（こわ）れてしまうのかを知るには、物体に外側から働きかける力だけではなくて、物体の内部に働く力というものも意識する必要があります。

先生！

『内力』ってなんですか？

そこにある綱（つな）で、二人で綱引き（つな）をしてみなさい

ええ!?

内力

　外力の話はだいぶしてきたので今度は「内力」を考えてみたいと思います。でも、物体の内部に働いている力ってどうやったらわかるんでしょうか。

　ということで、ここでは綱引きを考えてみましょう。綱引きの綱は、ここでは難しいことを考えずに単なる一本の棒として考えてみます。通常、綱引きでは、たくさんの人が綱を引き合いますが、この綱引きではちょっと寂しいですが、両端に一人ずつ選手がいて、反対方向に引張っているとします。二人の力はまったく同じだとします。

　棒のそれぞれの先端に作用点があるので、左側の作用点の力には F1 という名前を、右側の作用点の力には F2 と言う名前をつけます。それぞれ力は断面から外側に向って作用しています。この 2 つの「外力」はまったく同じ大きさで方向だけが正反対なので、「釣り合った」状態と言えますね。

　さて、ここから本番ですが、物体の内部にはいったいどのような力が働いているのでしょうか。力とかは関係なく、中がどうなっているのかを確かめるのに、ナイフとか包丁で断面を切って中身を見ることはよくありますが、ここでも同じことをやってみようと思います。で、本当に中央をスパっと切ってしまったらどんなことになるでしょうか。とりあえず頭の中で本当に切ってしまったところを想像してみましょう。

　物体は 2 つに分かれてしまうので、先ほどの力の釣り合いがなりたたなくなりますね。左から引っ張っている太郎さんも右から引っ張っている次郎さんも、それぞれの方向に吹っ飛んでいきそうです。ちなみに、この断面は本当に切っているわけではなくて「仮想的に」切っているので「仮想断面」と言います。しかし、断面を切ったからといっていきなり力のバランスが崩れてしまうのはなんだか変ですね。

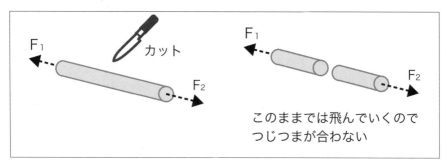

カット

F_1

F_2

F_1

F_2

このままでは飛んでいくので
つじつまが合わない

　ということは、仮想的に切った棒内部の断面に対しても何らかの力が働いていると考えたほうが、筋がとおりますね。ということで絵を描き直してみましょう。

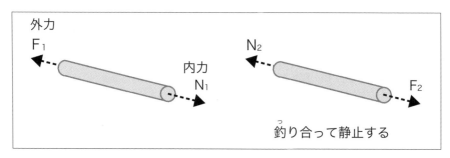

外力
F_1

内力
N_1

N_2

F_2

釣り合って静止する

　今度は、仮想断面にそれぞれ N1、N2 という力が働いています。これらの力は断面を切るまで出てこなかった物体内部の力で、これが内力です。この力によって、スパッと切って半分になってしまった左側の棒も右側の棒も釣り合いが取れますね。ちなみに、このケースの場合、F1=F2、F1=N1、F2=N2 ですから、F1=F2=N1=N2 という関係が成り立ちます。

　このようなことから、物体に外力が働くと、物体の内部に「内力」が働くことがわかります。

　物体の内部に力が働くことはわかりましたが、物体の強さと結びつけるには、もう少し情報が必要です。

応力

　ここで「応力」についてお話をしたいと思います。「応力」とはこれまた聞き慣れない言葉が出てきましたね。というのも、内力の大きさだけだと物体の強さを考えるにはちょっと不都合なのです。例えば、さっきの棒を考えてみましょう。両側から 10N（約 1kg 重）の力で引張ったとします。もし、棒がとても細くて、1mm^2 しかなかったとします。なんだかすぐ切れそうですね。でも、断面が 100mm^2 だったらどうでしょうか。ちょっとやそっとでは切れそうもないですね。ここで考えたいのが「圧力」です。

　圧力とは単位面積（1m^2）※あたりにかかる力のことです。力を面積で割ったものが圧力なので、単位は（N/m^2）になりますが、実は圧力のための単位として Pa（パスカル）というものがあり、1N/m^2 = 1Pa です。皆さんは天気予報で台風が来た時に 980 ヘクトパスカルというような言葉を聞くと思いますが、まさにあれです。ヘクトというのは 100 倍を意味する言葉なので、98,000Pa と同じです。

　元の話に戻りましょう。話を単純にするために、先ほどの 1mm^2、100mm^2 をそれぞれ、1m^2、100m^2 と置き換えて考えてみます。かかっている荷重が 10N なので、細いほうの棒の端面にかかっている圧力は 10 ÷ 1 で 10Pa になり、太い方は、10 ÷ 100 で 0.1Pa になります。要するに太い方には大した圧力がかかっていないということがわかります。さて、外力に対しては、圧力で考えることができますが、内力はどうなのでしょうか。実はそれが「応力」なのです。物体内部の内力を、外力と同じように面積で割ったものを「応力」というのです。そういうわけで、応力の単位も圧力と同じ「Pa」を使います。ちなみに、「応力」という言葉は文章の中で使うのには良いのですが、式の中で言葉を使うことは一般にないので「σ（シグマ）」というギリシャ文字もよく使われます。なんだか、かっ

※単位系が SI（国際単位系）の場合

こよさそうなので覚えるとよいかもしれません。

　なので、先ほどの関係を算数の式で示すと、σ＝P（内力）÷A（面積）ということになります。実は応力といっても色々あるのですが、ここでは「σ」だけ覚えておいてください。

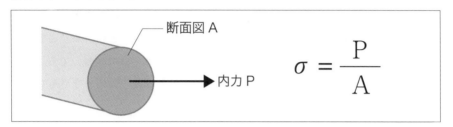

断面図 A

内力 P

$$\sigma = \frac{P}{A}$$

綱引きの綱はいつちぎれるのか

　さて、なぜ「応力」が大事なのでしょうか。実は、その材料の強さは応力と同じ単位で表されるからです。例えば、物体が引張られてちぎれてしまう力の大きさのことを「最大引張応力」というのです（そのまんまの言葉ですね）。なお、破断そのものについては後で説明します。

　だから、例えば先ほどの綱引きの綱がちぎれるかどうかは、綱の内部に発生した応力の大きさと最大引張応力を比べてあげればよいということがわかりますね。発生した応力が、最大引張応力よりも小さければ綱はちぎれませんし、大きければちぎれてしまうという単純な関係がなりたちます。

　ちょっとありえないケースですが、断面積が$1mm^2$の綱（1mm x 1mm）、というかほとんどワイヤーですが、これで綱引きしたとしましょう。お互いに50kg重（490N）の力で引き合ったとします。内力は外力と釣り合っていて同じなので、応力は490Nを断面積の$1mm^2$で割ったものということになります。なので、この時の応力は$490N ÷ 1mm^2 = 490N ÷ 0.000001m^2 = 490,000,000Pa$です。

でも、490,000,000Pa ってちょっと 0 が多すぎてわかりにくいですね。こんな時には M（メガ）というものを使います。先ほどのヘクトと同じようなものですが、ヘクトが 100 倍なのに対して、メガは 1,000,000 倍のことを言います。メガという単位は、メガバイトなどのようにパソコンのファイルの大きさなどにも使われるので、ヘクトより馴染みがあるのではないでしょうか。ということで、この数字は 490MPa（メガパスカル）になります。すごくすっきりしましたね。

さて、もう一つの断面積が 100mm² （10mm x 10mm）のほうはどうでしょうか？　こちらは mm のまま計算してしまいましょう。490N ÷ 100mm² なので、4.9MPa になります。同じ大きさの力なのに応力は随分違いますね。

ところで、最大引張応力というものは、その物体の形とは関係なく、材料によって決まっています。例えば、よく使われる鉄鋼では（厳密に言うとさまざまな種類がありますが）、最大の引張り強さが、400MPa 前後なのです。ということは細い鋼鉄製の綱のほうは、最大の力で引張られた時にちぎれて太郎さんも次郎さんも後ろに勢いをつけてひっくり返ってしまいそうです。でも、少し太いほうの鋼鉄の綱はまったく問題がありません。

同じ材料でも太さや形によって変形したり切れたりするものがあれば、まったく問題がないものもあります。こんな風に応力を比較してやればわかりやすいですね。

 ## 引張りの応力と圧縮の応力

ところで、力の話をした時に「引張り」と「圧縮」がある話をしました。式で引張りの力を表現する時にはプラスの数字で、圧縮の力を表現する時にはマイナスの数字で表現します。応力は、力を面積で割ったものなので、応力にも自然とプラスのものとマイナスのものがあることがわかりますね。つまり物体内部に圧

縮して押しつぶそうという状態の時に発生する応力はマイナス、引張ってちぎっ
てしまおうという応力が発生する時の応力はプラスなのです。

$$\sigma = \frac{P}{A} \qquad\qquad \sigma = -\frac{P}{A}$$

　式を書いてみるとあまりにも当たり前のことを言っているので、「まあ、それ
はそうだろうけど、それがどうした？」と言われそうですね。でも、実はプラス
の応力か、マイナスの応力かということはモノの強さに大きな影響を与えるので
す。「？？？」ですよね。そのことはまた後でお話ししたいと思うので、とりあ
えず今はそんなことを頭の片隅にでも置いておいてください。ちなみに、このこ
とから想像がつくかもしれませんが、力には大きさと方向があるのでベクトルと
いうことになりますね。

 ## せん断応力

　力のところでハサミで断ち切るような力という「せん断」力というものがある
ことをお話ししました。

　せん断の力は、断面に平行に（沿うように）かかる力です。なので、せん断応
力も断面に沿うように発生する応力になります。確かに、今回示したように軸の
方向にまっすぐ力をかけて、軸に直角な仮想断面を切るのであれば、応力は完全
に引張りか圧縮だけで、せん断応力は０ですね。でも、誰も仮想断面をそのよう
に切らないといけない、なんて言ってません。僕は素直に断面を切るの嫌だか

ら斜めに切るって言ったらどうなるでしょうか？

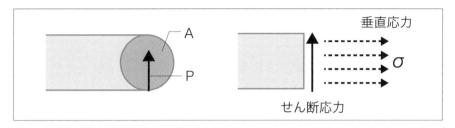

おっと、つじつまをあわせるためには、引張りの応力はちょっと小さくなって、せん断応力も０ではなくなります。元の仮想断面だったとしても、もし荷重が斜め向きにかかっていたとしたら、やっぱりせん断応力が出てきますね。

実際の物体は、単純な棒に単純な力がかかっているわけではなくて、もっと色々な形をしていて、色々な方向から荷重がかかっています。そんなわけで、応力も「垂直応力」と「せん断応力」に分解できることがほとんどなのですね。

材料によっては、この「せん断応力」が大きな影響を及ぼすことがあるので、とても大事です。大きな地震で高速道路などの橋脚が破損した時など、その事故をニュース番組で専門家が解説をしている時に、「せん断」で破壊されたといった説明を聞くことがあります。コンクリートの壁などを見ると斜めのヒビが入っているのを見ることがあります。このようなき裂は、せん断による破壊の結果です。せん断破壊が起きると、一気に強度が落ちて、垂直力も支えきれずに崩れてしまいます。構造を支えるコンクリート製の柱や梁でせん断破壊が起きると致命的なので、そのようなことが起きないように設計をする必要があるのです。

もっと身近な話をしましょう。コピー用紙の両端を引張ってちぎってみましょう。簡単には破れないですね。では、今度は紙の上端を両手ずらすようにひねってみましょう。いとも簡単に破れますね。同じものでもせん断応力によっていとも簡単に破壊されてしまうことがあるのです。

力によって生じる変形

物体はただその内部に力が発生するだけではなくて、変形をします。すごく変形するのに中々壊れなかったり、あんまり変形していないように見えるのに砕け散ってしまったりするものもあります。応力と変形には密接な関係があるのです。そんな変形のお話をします。

50

ひずみ

　物体が変形する時に、その変形の度合いはどのように測ることができるでしょうか。力の場合では「応力」という概念をお話ししました。外力や内力といった力そのものは、物体の強さをはかるに十分な情報ではなく、そのために「応力」というものを考える必要がありました。

　例えば、ゴムのような変形しやすいものを引張ったとします。その伸びを表すのに、どんな表現を使うでしょうか。多分、10センチ伸びたとか、20センチ伸びた、というような言い方をすると思います。力の場合だと、10キロの力で引張ったみたいな感じですね。ところで、2つのゴムのサンプルがあって、一つが少し柔らかめのゴム、もう一つが硬めのゴムだったとします。ゴム1は引張ってみたら1センチ伸びました。ゴム2は10センチ伸びました。ということで、ゴム1が硬い方、ゴム2は柔らかい方ということが言えるでしょうか。

　残念ながら、そんなに簡単な話ではありません。というのも、ゴム1の長さは1センチ、ゴム2の長さは100センチでした。ということは、ゴム1は元々の自分の長さと同じ長さだけ伸びたわけですが、ゴム2は元の自分の長さの1/10しか伸びなかったわけです。こちらの情報が加わると、どうもゴム1のほうが柔らかそうという印象になりますね。

　つまり、1センチ伸びました、10センチ伸びましたという絶対量を示すだけではあまり意味がないことになります。物体の元の大きさ（長さ）と変形した大きさ（長さ）の両方があって、その割合を考えてみることのほうが重要そうだ、ということに気がつきます。その「割合」の情報を表現するのが「ひずみ」というものになります。「ひずみ」という言葉には、形がいびつなこととか、ゆがみ、という意味と、もう一つはある物体に外力を加えた時の、形や体積の変化と言う意味もあります。その後者の意味で使います。

で、そのひずみの定義ですが、とても簡単です。

まず、元の状況と変形後の状況を図で見てみましょう。

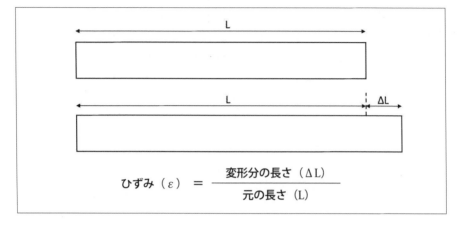

$$\text{ひずみ}（\varepsilon） = \frac{\text{変形分の長さ（}\Delta L\text{）}}{\text{元の長さ（L）}}$$

先ほどのゴム1とゴム2を考えてみます（日本では工業製品の設計の単位にはミリが使用されますので、ここでも長さの単位はセンチからミリに変えています）。

$$（ゴム1）\text{ひずみ} = \frac{10mm}{10mm} = 1$$

$$（ゴム2）\text{ひずみ} = \frac{100mm}{1000mm} = 0.1$$

それぞれのひずみは上記のようになることがわかります。ちなみに圧縮の力がかかって変形後の長さが元の長さよりも短くなる時には、変化量はマイナスなので、ひずみの大きさもマイナスになります。

なお、応力と違って、ひずみの場合には、分子の単位も mm、分母の単位も mm となり、長さを長さで割っているので、単位は分子と分母で相殺されてなくなります。このように単位のない数のことを無次元量、あるいは無次元数とも言います。

　このような単純な引張りの場合のひずみは、垂直応力に対応するひずみで垂直ひずみとも言います。つまり、σ（シグマ）に対応するのが ε（イプシロン）ということです。

　さて、垂直ひずみがあるということは、せん断ひずみもあるのでしょうか。実際あるのです。応力にも垂直応力とともに物体をずらして断ち切るような力であるせん断応力があると話をしましたね。ちなみにせん断応力は τ（タウ）で表現します。そのせん断応力に対応するのがせん断ひずみなのです。せん断ひずみもギリシャ文字で表現されて γ（ガンマ）という文字で表されます。

　まとめると対応関係は以下のようになります。

	応力	ひずみ
まっすぐ引張ったり圧縮したりする力	垂直応力（σ）	垂直ひずみ（ε）
断面に沿って断ち切ろうとする力	せん断応力（τ）	せん断ひずみ（γ）

 垂直ひずみを深堀りする

　ところで、ちょっとある程度太い棒を考えてみましょう。長さが1メートル（1000mm）で、その棒が 10mm 伸びたとします。伸びた方向に対する垂直ひずみは 10 ÷ 1000 になるので 0.01 ですね。でも、この棒って単純に伸びっぱなしなんでしょうか。単純に伸びてしまうと引張荷重がかかるとその分だけ体積も

増えてしまいますし、逆に圧縮の力がかかれば体積が小さくなりますね。でも、本当にそうなんでしょうか?

　実は、ある意味で本当です。材料によって異なるのですが、全く体積が変わらない材料もあれば、結構体積が変化するものもあります。この特徴は材料に固有のものです。だから、材料がわかっているのなら、引張った方向のひずみがわかれば、それに直交する方向のひずみもわかるのです。

　絵で示してみましょう。

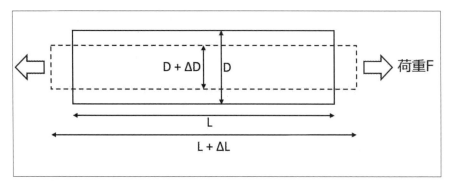

　この図でわかるように、実は棒を引張って引き伸ばすと、その方向と垂直の方向に縮むのです。一般に最初の長さ方向の変化量を「縦ひずみ」、直交する横方向の変化量を「横ひずみ」といいます。

　さっき示したひずみの式を思い出してみましょう。ここでは長さはアルファベットのL、変形した後の長さをL'(L ダッシュ)、棒の直径はアルファベットのD、変形した後の直径D'(D ダッシュ)で表現します。

$$\text{縦ひずみ（}\varepsilon\text{）} = \frac{\text{長さの変形量（}\Delta L\text{）}}{\text{元の長さ（}L\text{）}} = \frac{L' - L}{L}$$

$$\text{横ひずみ（}\varepsilon'\text{）} = \frac{\text{直径の変形量（}\Delta D\text{）}}{\text{元の直径（}D\text{）}} = \frac{D' - D}{D}$$

基本的に棒の長さ方向に引張れば、直径は縮んで横ひずみはマイナスになりますし、逆に長さ方向に圧縮すれば、直径は膨んで横ひずみはプラスになります。

また、これらの2つのひずみは、ポアソン比という比率で結び付けられています。このポアソン比のことはギリシャ文字のニュー（ν）という文字で表現されています。式で表現すると次の式になります。

$$\text{ポアソン比（}\nu\text{）} = \frac{\text{横ひずみ（}\varepsilon'\text{）}}{\text{縦ひずみ（}\varepsilon\text{）}}$$

これも単純な割り算ですね。なお、ポアソン比の最大値は 0.5 になります。なぜ 0.5 なのかということについては、少しばかり長い話が必要になってしまうので、ここでは 0.5 が最大の値とだけ覚えておいてください。

ちなみに、このポアソン比という数値は、材料によって固有です。鉄や鉄の合金、アルミをはじめとするほとんどの金属は、0.3 を中心に 0.28 から 0.32 付近のものが多いのです。ゴムは非圧縮性の材料と言われており、計算には 0.49 といった限りなく 0.5 に近い数値が用いられます。逆にコルクはほぼ 0 となっています。

つまり、コルクは引張っても圧縮しても直交する方向の寸法は変化しないということなんですね。

 ## せん断ひずみについて

　先ほどは、せん断ひずみというものがあるということについて、少しだけ触れました。ここでは、もう少し詳しく話をします。垂直応力では、例えば正方形の形が引張られたり圧縮されたりすることで、長方形になるような変形です。せん断力による変形は、正方形が平行四辺形になるような変形です。そのような変形によって生じるせん断ひずみは、垂直ひずみよりはちょっと直感的にわかりづらいかもしれません。

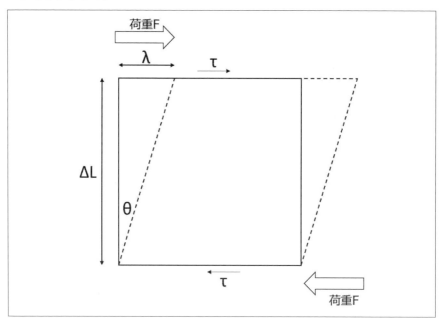

つまり、言い換えると単位長さあたりのずれの量が、せん断ひずみだと言うことができますね。なお、せん断ひずみについては、もっと単純な表現方法もあるのですが、そのためには角度を弧度法によるラジアンという表現で表す必要があります。ただラジアンについては、小学校や中学校では習っていないですし、高校の数学も忘れてしまった人も多いかと思いますので、ここでは上の表現で覚えておくことにします。

　さて、変形については、これで終わりです。Part6 では、基礎知識編の最終セクションとして応力とひずみを結びつけたいと思います。そうすることで、外力と変形や応力、そして破壊という繋がりが見えてくるのです。

Part6 モノの中に発生する力と ひずみの関係について知ろう

物体の外からかかる荷重に対して、物体内部に応力（内力）や変形（ひずみ）が生じることがわかりました。そして応力とひずみの間にも関係があり、その関係は材料ごとに決まっているので、関係がわかると変形の予測もつきます。

外力と変形の関係

　私たちの身の回りには実にたくさんの材料があって、重たいもの軽いもの、柔軟性_{なんせい}が高くてよくしなるものから砕_{くだ}けやすいもの、柔_{やわ}らかいもの硬_{かた}いもの、色々_{じゅう}ですね。例えば硬_{かた}いとか柔_{やわ}らかいという基準のない言葉を何らかの数字で置き換えるとわかりやすそうですね。

　実は、応力とひずみの関係をはっきりできると、材料の性質、特に力に対する材料の特性を表現することができるのです。ということで、まず応力とひずみに先立って力と変形について考えてみたいと思います。

　どうするかというと、ここまで何回も登場してもらっている棒をバネに見立てて考えます。

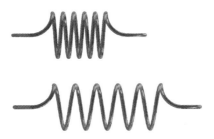

　バネは力が加わると伸_のびますね。どのくらいの荷重をかけたら、どのくらいバネが伸_のびるのかということは、フックの法則というものを使うとわかります。多分、中学生の理科とかで学んだのではないでしょうか。フックの法則はすでに忘却_{ぼうきゃく}の彼方_{かなた}という人のためにその定義を示すと以下のようになります。

$$力 = ばね定数 × バネが伸びた長さ（または縮んだ長さ）$$

理科の時間でも、こんな式で表現したのではないでしょうか。

小学生の皆さんでも掛け算を学んでいるなら簡単な式ですね。

この式が意味するのは、力をいっぱいかければ、バネが壊れない限り、いっぱい伸びるし、かける力が小さいなら、少ししか伸びないという単純なお話です。だから、荷重と伸びは一対一で関係づけられるわけです。

ということは、応力とひずみも関係づけられそうですね。

思い出して欲しいのは、外力と応力、変形とひずみはお互いに一対一で対応していましたね。ということはその対応関係を持ち込むと、応力とひずみも一対一で関係を作ることができるということになります。

力をF、伸びをx、バネ定数をkとして先ほどの式に当てはめると、F=kx になりますね。では、Fを断面積A、xを元の長さLで割ると、実はそれぞれ応力（σ）とひずみ（ε）になります。それによって以下の式につながります。

・垂直応力とひずみの場合

$$\text{垂直応力（σ）} = \text{縦弾性係数（E）} \times \text{垂直ひずみ（ε）}$$

・せん断応力とひずみの場合

$$\text{せん断応力（τ）} = \text{横弾性係数（G）} \times \text{せん断ひずみ（γ）}$$

また新しく2つの言葉、「縦弾性係数」と「横弾性係数」という言葉が出てきましたね。このうち縦弾性係数については、ヤング率と呼ばれることが多いので、本書でもこの後はヤング率と呼ぶことにします。ちなみにヤングというのは、18世紀の学者、トーマス・ヤングさんにちなんでいます。

ヤング率とは

　ヤング率はいったい何を表現しているのかというと、簡単に言えば「変形のしにくさ」です。数字が大きいほど変形しにくく、数字が小さければ変形しやすい材料ということになります。このことをもう少し難しい言葉では「剛性」と言ったりもします。

　ヤング率は、鉄のヤング率、アルミのヤング率というように、材料ごとに固有の値なので、材料を見ればその物体の変形しにくさも自動的にわかります。数値を比較すれば、どの材料がどの材料よりも変形しにくいかも一目瞭然です。

　例えば、私たちの身近なところでよく使用される材料の「鋼」は鉄系の合金で、鋼にもさまざまな種類があるのですが、概ねそのヤング率は、210GPa（ギガパスカル、210,000,000,000Pa）です。アルミニウムも私たちにとって身近な材料ですが、アルミニウムのヤング率は、70GPa です。ということは、同じ荷重をかけた時、アルミニウムのほうが鋼よりも 3 倍大きく変形する、ということが言えます。この結果をシミュレーションソフトで確認してみたいと思います。

　この例では、1cm x 1cm で長さが 10cm の棒を用意して、その棒の左側を壁に留めて、右端に 1000N の荷重をかけています。

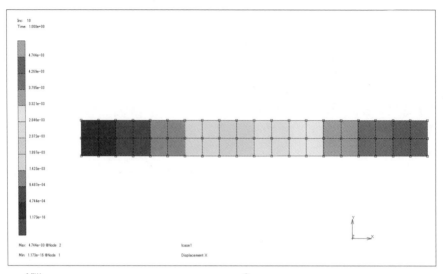

鋼：右端は 4.744x10-3mm（0.004744mm）右方向に伸びています。

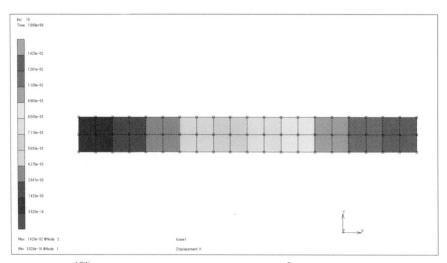

アルミニウム：右端は 1.423x10-2mm（0.01423mm）右方向に伸びています。

鋼が伸びた量の 0.004744 に 3 をかけてみると、0.014232 です。確かにアルミのほうが 3 倍大きく変形していることがわかります。

数字を見れば変形の様子も想像がつくのが面白いですね。

応力とひずみの関係は、数字だけでなくてグラフにしてみるともっとイメージしやすくなります。

ということで、応力とひずみ、それにヤング率の関係を示すと右の図のようになります。

思ったより単純ですね。ヤング率は斜めの線の勾配であることもこれでわかりますね。

2 つの材料を取り上げた時に右のようなグラフが描けたとします。

先ほどの鋼は、より勾配のきつい「変形しにくい」もの、アルミはより勾配が緩やかな「変形しやすい」ほうになりますね。この応力とひずみの関係は、せん断応力とせん断ひずみに対しても同様の関係が成立しますが、一般に応力ひずみ線図を示すときには、こちらの垂直応力のものが用いられます。

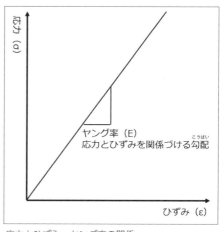

応力とひずみ、ヤング率の関係

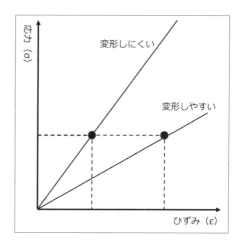

材料はいつ壊れるの？

　さて、ここまで仕入れた情報で、どのくらい荷重をかけたらどのくらい変形して、どのくらいの物体の内部に力が発生するのかがわかりそうですね。でも、これだけではまだわからない情報があります。それは、その物体はいつ壊れるのか、ということです。

　さっき作った応力ひずみ線図の斜めの線は永遠に伸び続けるわけではありません。世の中のモノで壊れないものはないので、どこかに限界があるはずですね。でも、先ほどのグラフにはその限界が書いてありません。ということで、先ほど作成した応力ひずみ線図に、破壊や破断の情報を追加したいと思います。

 ## そもそも応力ひずみ線図ってどうやって作ったの？

　応力ひずみの関係はどこかからこつ然と湧いてきたわけではなくて「実験」をして、そのデータを元にして作成されています。実験には以下のようなちょっとだけダンベルに似た形をした試験片を使い、その両側を引張試験機という試験装置で破断するまで引張ります。

試験片

　両側から荷重をかけると、徐々に細い部分が伸ばされていきます。どんどん伸ばしていくと、あるところからネッキング（くびれ）が発生して基本的に中央部が細くなっていきます。最後には破断します。

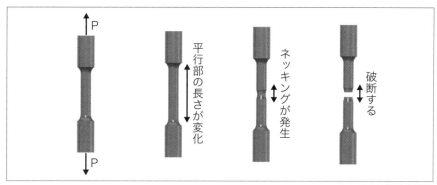

P

平行部の長さが変化

ネッキングが発生

破断する

P

試験の流れ

この状況を応力ひずみ曲線図で表現すると以下のようになります。

試験片の一番左のものがグラフの原点の位置になります。上の図の弾性域（直線で示される原点から降伏応力※まで）と塑性域のうち最大引張強さまでは均一に伸びていきます。図の左から2番目の状態です。引張強さから破断までが、くびれが発生している状態

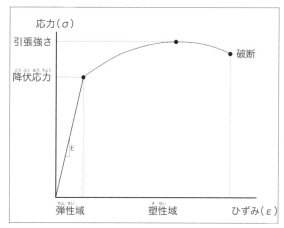

応力（σ）

引張強さ

降伏応力

E

弾性域

塑性域

ひずみ（ε）

破断

で、これが左から3番目の状態にあたります。そして最後に破断します。なお、降伏応力のすぐ後はもう少し複雑な挙動を実際には示しますが、ここでは説明のため単純化して描いてあります。

さて、ここで弾性、塑性というまたもや聞き慣れない言葉が出てきました。弾性とは、荷重がかかって物体が変形しても、その荷重を取り除いてやれば元の状

※降伏応力：材料が力を除いても元の形に戻れなくなる点。降伏点、降伏強度とも言う。

65

態に戻ることを言います。例えば金属製の薄い板を両手で曲げてやれば湾曲しますが、力を抜けば元の平らな板に戻りますね。これが弾性域での変形の状態です（弾性変形ともいいます）。ところが、そのまま力を入れてさらに曲げようとすると、あるタイミングで折り目がついてしまい、手を離しても板は曲がったままで、元の平らな板には戻らず永久に変形したままです。これは材料が塑性域に入ってしまったことによります。これを塑性変形とも言います。一度塑性変形が起きてしまうと力を取り除いても元には戻りません。

　ではいつ、弾性変形から塑性変形に変わるのかというと、グラフの降伏応力と書かれているポイントです。

　一般に製品の中に使われている部品とか、あるいは機械の筐体などが塑性変形を起こして困ることが多いので、想定される使用状況では塑性変形が起きないように設計します。ただ、塑性がいつも望まれないわけではなく、逆に材料を加工する時にはなくてはならない性質です。例えば、自動車のボディーはプレス成形というやり方でボディーの形を創りますが、それが可能なのは材料の板が塑性変形を起こすからです。弾性変形しかないなら、せっかくプレスで型の形に合わせてきれいな形を作っても、板をプレスから外したら元の平らな板に戻ってしまいますものね。

 ## 延性（えんせい）と脆性（ぜいせい）

　さて、モノの強さの秘密を解き明かすためにどうしても知っておきたい知識についてはだいたい出揃ってきました。その最後に、延性と脆性のお話をしたいと思います。先ほど、お話しした応力ひずみ線図ですが、どの材料も同じような挙動を示すわけではないのです。

　例えば先ほども例に出した金属の板ですが、あなたが力をかけ続けて曲げてし

まったとしても、その先の破断に至るまでは壊れる（ここでは破断の意味）まで変形をし続けます。こういった性質が延性です。他にも変形はするけれど、完全に破壊されるまでにはもう少し力をかけなければならないものはあります。

　その一方で、大した変形をしないうちに、いきなり割れて砕け散ってしまうものもあります。こういった性質が脆性です。このような挙動を示すものには陶磁器など食器によく使われている材料や鋳物などがあります。

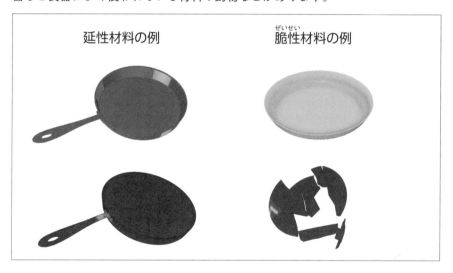

延性材料の例　　　　　　　　脆性材料の例

　挙動の特徴としては、例えば金属製の板とガラス製の板の2つの板があったとします。両方の板の上にボーリングのボールをそっと置いてみると、どちらも特に問題なく耐えるでしょう。ところが、今度はボールを高いところから、それぞれの板の上に落下させたとします。金属の板は凹むかもしれませんが、歪んだ形でボールを支え続けるでしょう。つまり塑性はするけれど完全に壊れてはいない状態ですね。ところがガラス製の板は砕け散ってしまうでしょう。そのような

挙動の違いです。

　ちなみに脆性材料の応力ひずみ線図は下の右の図のようになります。弾性域の挙動は、基本的には延性材料との根本的な違いはありません。ただ、延性材料との違いは、塑性変形することなく、つまり延性の状態なくしていきなり壊れてしまうということです。

　先ほどのボーリングのボールをそっと置くのか落下させるのかの違いを応力ひずみ線図に重ね合わせると以下のようになります。

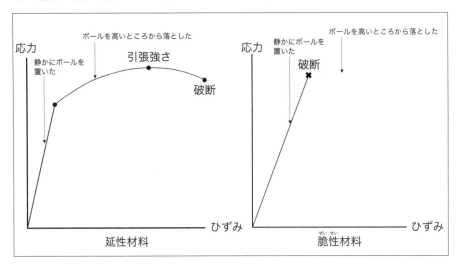

　これで基礎知識編のお話は終わりです。他にも知っておいたほうがよいことはありますが、他に必要な知識はその都度ご説明することにして、実際のものをベースにモノの強さ（と弱さ）を考える第二部に入っていきたいと思います。

68

謎解き編

いよいよモノがなぜ壊れないのか、その謎に迫ります。さまざまな例をもとに、モノの強さの秘密を解き明かしていきましょう。

Part7 物体の向きやカタチを変えるだけで変形しなくなる話　その1

さて、基礎知識編では床の上のテーブルとその上で座禅するあなたのお話をしましたが、そもそもなんでテーブルって床が抜けないんでしょうか？　床に限らずなんで力がかかった板が割れたり、棒が折れたり普通はしないんでしょうか？

1

俺、空手習ってんだよ

ちょっとした板くらい、空手チョップで割ってやるぜぃ！

2

そうなの。じゃあ、これは簡単よね

3

ちょろいちょろい！たぁー

すごいのね。じゃあこれは？

4

痛ぁー！

70

「ヤング率が大きいから？」「材料の強度が高いから？」どれも関係はありますが、そうかといって、どれもこれも「史上最強の材料！」を使うわけにはいきません。実は材料は同じだけど「向き」とか「カタチ」を工夫することで、その部品の強度を上げているというものは結構あるのです。ということで、まずは「カタチから入ってみる」ことにしましょう。

高ヤング率の材料＝高剛性の部品？

Part6 で「剛性」のお話をしました。その時に剛性とは変形のしにくさだということも言いましたね。鋼とアルミを引っ張ってみて、「ヤング率」の高い鋼の方が、アルミよりも変形しにくいお話を、コンピューターソフトのシミュレーションも示してみました。じゃあ、何でもかんでもアルミの代わりに鋼を使えばよいかといえば、そういうわけにもいきません。鋼のほうがアルミよりも重いので、どうしてもアルミじゃなきゃ、なんてことは当然ありえるわけです。どうにかして、同じ材料を使ってあまり変形しないようにしたいのです。でも、そんなことってできるんでしょうか？

実は、そのような例は皆さんの身近に案外見受けられるのです。例えば、厚さが 2.5mm のベニヤ板を考えてみましょう（正確にはベニヤ合板ですが、以下ベニヤ板とします）。あなたはこの板を使って台にしたいのですが、物を置いた時にあまりたわんで欲しくはないとします。

ちょっと実験をしてみましょう。誰かお友達に薄いベニヤ板の両端を持ってもらってください。カットしないでホームセンターで買ってくると、1830mm x 920mm と少し大きいので、お友達は二人くらいがよいかもしれません。それで、あなたは上から板の中央を、力を込めて押してみましょう。強く押すことでひょっ

としたら折れてしまうかもしれませんし、折れないまでも大きくたわむことは間違（まちが）いありません。

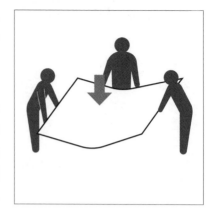

　じゃあ、今度はこのまったく同じ板を90度回転させて面が真横に断面が上を向くようにしてみましょう。もう一回これを渾身（こんしん）の力で上から押（お）してみます。すごく細いエッジ上を押（お）すので、このまま押（お）したら手が痛いかもしれません。タオルか何かを挟（はさ）んだほうがよいかもしれませんね。いずれにしても、今度は相当に力強く押してみても、下方向にはたわまないと思います。

　「え？板の向きは変えたくない！？…」

　困りましたね。でも、たしかにあんなに細いエッジの上に物を置くなんて無理ですもんね。じゃあ、少し板を厚くしてみましょうか。同じ大きさで厚さのベニヤ板をもう9枚もってきてください。合計10枚重ねで、トータルの厚さが25mmくらいです。

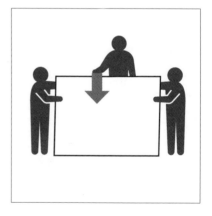

　今度は平面を上にしている時にも、明らかにたわまなくなりましたね。なんとなく身に覚えはありませんか？　というか、「薄（うす）い板より厚い板が曲がりにくいなんて、そんなの当たり前じゃん」という声が聞こえてくるようです。でも、なんでそうなんでしょうか？

その理由はこれから考えていきますが、まずはこのセクションの小見出し「高ヤング率の材料＝高剛性の部品？」という言葉を思い出してください。わざわざ、こんな小見出しにしたのは、その部品の剛性を高くするためには、ヤング率という物性値が大きい材料を使うことが唯一の方法ではない、ということです。実際、今回ベニヤ板でやったことと言えば、向きを変えただけとか厚みを変えただけです。でもそれだけで変形量が変わったということは、台という部品の剛性が変わったということです。

つまり、材料の剛性がイコール、部品の剛性ではない、ということですね。

でも、具体的にカタチと曲がりにくさにはどんな関係があるのでしょうか？曲がりにくさを何か数字で表すことってできるんでしょうか？

曲がりにくくするにはどうしたら良いのでしょうか？

Part3 の「色々な力」でもお話をしましたが、私たちが身近に扱う製品の部品は、単純な引張りとか圧縮だけではなくて「曲げ」の力を受けることがとても多いのです。だから、上手に曲げの力に対処することができれば、用途に耐えられないほど曲がったり、壊れたりすることがなくなります。

ということで、ここでもう少し「曲げ」について考えてみたいと思います。Part3 では、単に「曲げ」の力がある、ということについてだけお話をしましたが、ここではさらに曲げの力で発生する応力も考えてみます。

まず、曲げの力が加わると、棒（板でも構いません）は、次ページのように曲がりますね。

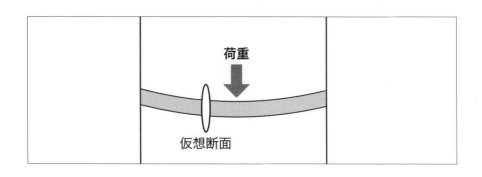

荷重

仮想断面

このように曲がった棒の仮想断面を詳しく見てみると、こんな感じになります。

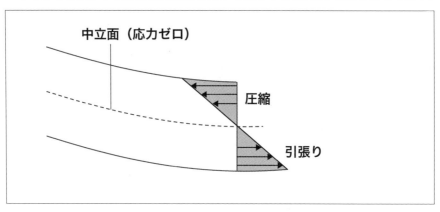

中立面（応力ゼロ）

圧縮

引張り

　この図の中の中立面というのは、伸びても縮んでもいない面です。例えば長方形や正方形、あるいは円のように上下対称の断面の形であれば、ちょうど横から見ると上下の中央になります。このように両端が上に中央が下にというたわみ方だと、中立面では応力もひずみもゼロですが、中立面より上では圧縮の応力とひずみ、下では引張りの応力とひずみが発生するだろうということは絵を書けば直感的にもわかりますね。

実はこのような曲げに対する応力を求めるための式があるのです。この式を知っておくと、どのくらいの応力が発生するのかとか、どの程度棒や板がたわむのかがわかるのです。

なお、これらの式がどこから来たのか、ということについてはここでは触れません。というのも単純な垂直応力の時と違って、微分積分の知識が必要になります。まだ習っていないとか、もう忘れたとか、思い出したくもないという人も多かろうと思いますので、あくまでもその結果としての式だけを示します。

$$応力（\sigma） = \frac{モーメント（M）\times 中立面からの距離（y）}{断面二次モーメント（I）}$$

図を見てもらうとわかるように、応力は中立面から上下方向に離れるほど絶対値としての数字が大きくなります。これは中立面からの距離に比例しています。中立面では、yの大きさが0ですので、曲げによる応力も0になりますし、逆に表面では引張り圧縮それぞれの最大の応力が求められます。モーメントの大きさは荷重の大きさと荷重がかかった場所からの距離で計算できるのは、Part3で学びましたね。

さて、ここで「断面二次モーメント※」という聞き慣れない新しい言葉がまた出てきました。実はこの値を求めるために本来は、微分積分の知識が必要なのです。ただ、一般的によく断面の形に対してはわかりやすい式が用意されているので、今日はそれを使います。

さて、この式を見てすでに気がついた人がいるかもしれませんが、断面二次モーメントが大きければ大きいほど、応力も小さくなるということです。

※断面二次モーメント：材料の曲げにくさを表す。

ちなみに、どのくらいたわむのか、ということについては次の式で求めることができます。なお、この式はどのように支えられているのかとか、どこに荷重かかかるのかで変わってきます。今回は、両端支持で棒（板）のちょうど中央の一点に荷重がかかるということを想定しています。

$$
たわみ量（\delta）= \frac{荷重値（F）\times 棒の長さ（L）^3}{48 \times ヤング率（E）\times 断面二次モーメント（I）}
$$

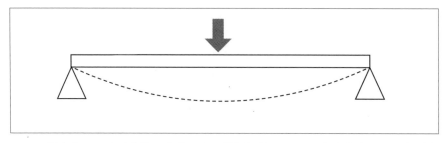

　この場合も、やはり分数の分子にある断面二次モーメントを大きくできればたわみ量も小さくなることがわかります。

　ということで、断面二次モーメントについてもう少し詳しく見てみましょう。

　「断面」という言葉からも、棒や板の断面に関係しそうだ、ということはわかりますね。今まで断面については、あまり詳しく話をして来なかったので、今回のベニヤ板を例にお話をしてみましょう。

　なお、本来木材は木の繊維の方向か直交する方向かによって弾性率が異なります（専門用語を使うと異方性がある材料ということになります）。また、木材の種類によっても異なりますので、ここでは、いくつかの資料を元にした数字を使います。あくまでも、断面二次モーメントと曲げや応力の関係を示すのが目的とご理解ください。

ということで今回計算のために使う荷重値は 10N、板の長さは 1800mm、幅（断面の奥行き）は、900mm、ヤング率は 8,000MPa とします。

　あとは、断面二次モーメントだけですね。今回はすべて長方形の断面を持ちますので、計算式は以下のようになります。

$$断面二次モーメント （I） = \frac{断面の幅 （b） \times 断面の高さ （h）^3}{12}$$

　ということなので、先にすべての断面の断面二次モーメントを計算してみましょう。

　まず、最初の断面二次モーメントです。

$$I = \frac{900 \times 2.5^3}{12} = \frac{900 \times 15.625}{12} = 1171.875 mm^4$$

　次に、縦にした時の断面二次モーメントを求めます。

$$I = \frac{2.5 \times 900^3}{12} = \frac{2.5 \times 729000000}{12} = 151875000 = 151.875 \times 10^6 mm^4$$

　ものすごく断面二次モーメントが大きくなっていますね。

　最後に肉厚を 10 倍にした時の断面二次モーメントを計算します。

$$I = \frac{900 \times 2.5^3}{12} = \frac{900 \times 15625}{12} = 1171875 \approx 1.172 \times 10^6 mm^4$$

縦にした時ほど断面二次モーメントの大きさは増えませんが、1枚だけの時に比べると随分大きくなりましたね。計算式を見てわかるとおり、板の幅を大きくするよりも、高さを大きくしたほうが、式の中では3乗（同じ数字を3回かける）なので、断面二次モーメントを大きくするのに効果的に効くことがわかります。

あとは実際に数字を求めてみましょう。一枚だけのモデルの応力は、

$$\sigma = \frac{(10\times1800\div2)\times(2.5\div2)}{1171.875} = 9.6MPa$$

また、たわみ量は、

$$\delta = \frac{10\times1800^3}{48\times8000\times1171.875} = 129.6mm$$

ちょっとたわみ過ぎというか、これほどのたわみ量になると「大変形問題」ということになり、この式を使うことが不適切なのですが、ここでは、あとの2つの例との比較が目的なので、とりあえずこの結果を受け入れることにします。

縦にした時は、

$$\sigma = \frac{(10\times1800\div2)\times(900\div2)}{151.875\times10^6} = 0.02667MPa$$

$$\delta = \frac{10\times1800^3}{48\times8000\times151875000} = 0.001mm$$

実に極端な違いですね。曲げによる応力は非常に小さいですし、ほとんどたわみません。とはいえ、台を普通はこんな向きに使いませんし、これではそもそも物を置けないので、最後の肉厚増の結果を見てみましょう。

$$\sigma = \frac{(10 \times 1800 \div 2) \times (25 \div 2)}{1171875} = 0.096MPa$$

$$\delta = \frac{10 \times 1800^3}{48 \times 8000 \times 1171875} = 0.1296mm$$

　縦にした時ほどは、応力もたわみ量も小さくはなっていませんが、板の大きさ
を考えたら応力もたわみ量も無視できると考えてよいでしょう。

　ちょっとした違いで随分変わるものですね。

　ところで、縦にするとものが置けないと言いましたが、波状に折ってみるとま
た違います。

　ごく薄いコピー用紙では、元々の材料の曲げ剛性がなく平らなままだと自立も
できません。さらに物理的にものを置く広さもありませんが、折り曲げることで、
物理的に置けるようになり、曲がりにくくなります。それほど重たいものは載せ
られませんが、潰れたりせずにペットボトルの重さを支えることも可能になりま
した。

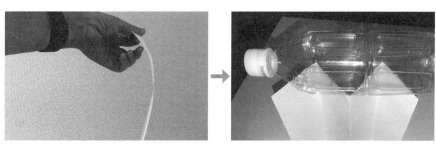

　このように、同じ材料ものでも向きを変えたりちょっと厚みを足したりするだ
けで随分と剛性が変わることがわかりますね。

物体の向きやカタチを変える だけで変形しなくなる話 その2

Part7 では、部品の剛性が材料のヤング率だけでなくて、その部品の形状や、荷重がかかる方向に対しての向きなどに依存することがわかりました。向きや肉厚を工夫することで十分に変形しにくい部品を作ることができると言うわけです。

このことについてもう少し付け加えておきたいというのがこの章です。という
のも、Part7 のロジックでいくと、とにかく材料の肉厚を増やしてガッチリ作れ
ば良いということになりますが、世の中そうは問屋がおろさないのです。

 ## 強いけど軽くしたい

　Part7 の例のベニヤ板のような、それほど強い材料でなくても、向きを 90 度
回して縦にしてみると非常に強い材料にすることができます。もっとも、実際に
はそんなに極端な変更はできません。そんなことをすれば曲がる方向に大きな空
間をとらなくてはいけませんし、また、ただ単に縦にしただけでは、台なのに物
を置くことができません。

　というわけで、より現実的なのは肉厚を増やすということですね。要するにで
きる限りより頑丈にすればよいので、それには薄い板ではなくて材料の塊のよ
うな板のほうが良いのですね。

　ただ、それでは現実的には問題があります。

　例えば本棚の棚板が、厚さ 10 センチの板だとか、自動車のボディの鋼板が厚
さ 1 センチの、装甲車みたいな分厚い金属の板でできていたらどうでしょうか。
確かに頑丈かもしれませんが、ものすごく重くて実用性がない、なんてことが世
の中にあふれかえるかもしれません。また、その部品を塊のようにする、とい
うことは材料をたくさん使うということなので、その製品のコストも高くなって
しまいます。

　そういうわけで、世の中の製品は「求められる強度はあるけれど、実用上問題
がない程度には軽い」ということが求められるのです。ということで、そんな例
をいくつか考えてみたいと思います。

H鋼

　皆さんは「H鋼」と呼ばれるものをご存知でしょうか。簡単に言うと断面がH字型をした鉄骨のことです。大きなビルの骨組みとなる鉄骨などによく使用されています。

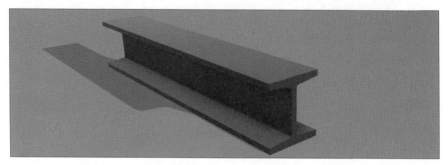

　でもよく考えてみてください。なんで、こんなH型のカタチをしているんでしょうか。単に真四角の断面にしてしまったほうが鉄骨を作るのも楽なんじゃないんでしょうか。にも関わらずなんでこんな形をしているんでしょうか。実は世の中の製品ってこんな風にして、強度と重量の落とし所を探っているのです。

　ということで、このH鋼について考えていきましょう。まず、H鋼ってどんなところによく使われているのでしょうか。これがわかれば、なぜH鋼かということが見えてくるのです。実は建物で言えば「梁」の部分によく使われます。梁とは柱と柱の間を水平につないでいる構造物です。また、床や屋根を支えその荷重を柱に伝えていく重要な役割を担っています。床が抜けない理由には、床そのものの強度とともに梁も非常に大きな役割を負っています。もっともH鋼は柱には用いられないと考えてよいでしょう。その理由は荷重のかかり方を考えてみるともっとはっきりしてきます。

梁にはどの方向から主要な荷重がかかるでしょうか。基本的には梁の上には床が乗っているので、上からの荷重がもっとも大きなものと言えるでしょう。水平方向から大きな荷重がかかることは比較的少ないと考えてよいと思います。要するに、垂直方向の荷重の大きさと水平方向の荷重の大きさには大きな違いがあるのですね。その一方、柱の場合には断面のあらゆる方向から大きな荷重がかかる可能性があります。地震の揺れとか、暴風による荷重を南北方向だけとか東西方向だけというわけではありません。

　ということで、本題に入ります。通常 H 鋼は H の字が横になった状態で使用されます。なぜ、この向きが合理的なのかを 2 つの方法で考えてみたいと思います。

断面二次モーメントと重量の関係

　Part7 では、断面二次モーメントが大きくなれば、その部材の剛性が高くなることがわかりました。その一方で単純に断面二次モーメントを大きくするだけだと、部材の重量も必要以上に増してしまいます。つまり、断面二次モーメントは最大ではないけれども、十分に大きくて、部材の重量も抑えられるようにすればよいわけです。

　ここで比較したいのは 100mm x 100mm の断面を持つ鉄骨と、同様のサイズを持つ H 鋼です。H 鋼については右のような断面を考えてみます。

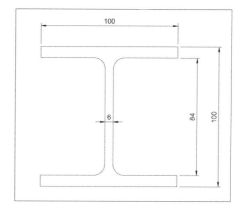

最大の縦横のサイズは正方形の断面の鉄骨と同じですが、中央部が大きくえぐられているのが違_{ちが}いです。

　断面二次モーメントの求め方は、正方形のものは Part7 の長方形を求めた式と同じですし、H 鋼にも式はありますが、ここでは 3D CAD と呼ばれるパソコンの中で立体を作るソフトで形を作ると同時に断面二次モーメントの計算もやってみようと思います。その結果は以下のようになります。

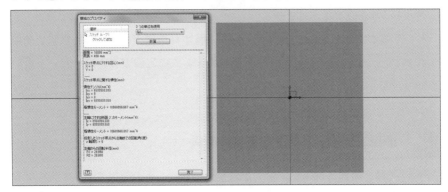

　正方形の断面の断面二次モーメントは、縦方向に対しても横方向に対しても、約 $8.333 \times 10^6 \mathrm{mm}^4$ になっています。H 鋼はどうでしょうか。

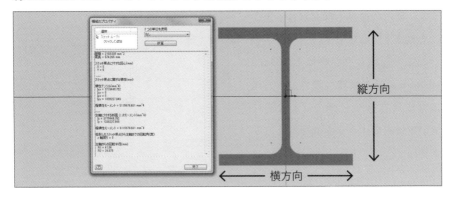

H鋼の場合には、縦方向と横方向で断面二次モーメントの値が異なります。Part7の極端(きょくたん)に細い長方形の断面だと、その違(ちが)いがよくわかりましたね。このH鋼でも同じです。今回荷重がかかることを予定している、縦方向の場合の断面二次モーメントは、$3.78 \times 10^6 mm^4$ ですが、水平方向の場合には、約 $1.34 \times 10^6 mm^4$ とさらに小さくなります。どちらも長方形の断面のものより小さくはなるのですが、大きいほうのものは、元の約45%程度とざっくりと材料を取り除いた割には小さくなっていません。

　ちなみに重量はどうなるのでしょうか。材料としては合金鋼を割り当てます。どちらも長さは2000mmとします。正方形の断面のほうの体積は100mmx100mmx2000mm = 20000000mm^{3}で、質量密度が、7.63g/cm^{3}なので、質量は154600gになります。一方でH鋼のほうは、体積が、4317876mm^{3}で、質量は33377gになります。

　つまり、正方形の断面を持つ鋼からH鋼の断面にすることで、断面二次モーメントは45%低下させますが、質量は元の21%程度にまで下げることができます。つまり、かなり割の良い取り引きだということができます。ただし、Part7の長方形の断面の時と同様に使用する時の向きを問います。Hの開いている方向、つまり左の図で言えば水平の方向の断面二次モーメントは、正方形の断面の16%にまで低下してしまいます。つまり、この向きで使うのは割が悪い取引になってしまいます。方向によって剛性(ごうせい)が変わってしまうものは、どの方向から荷重がかかるかわからない柱には向きません。だからこのようなケースはH鋼よりもロの字の断面をした鋼材のほうが向いているのです。

バネモデルでも考えてみよう

「断面二次モーメントが大きいほど剛性も大きいことはわかったけれど、なんかもう少し感覚的しっくりくる説明がないかなぁ……」なんて方も多いかもしれませんね。だいたい教科書によく出ている説明は、理屈はわかっても感覚的にピンとこないものって多いですよね。そこでもう少し頑張って説明してみようと思います。

非常に簡単なモデルということで、片持ち梁の先端に下向きの荷重をかけてみます。その時、梁は当然のように下にたわみます。この下にたわむという状況のモデル化を少し変えてみて、棒の任意の場所にヒンジ※をつけてみます。

このヒンジ付きの棒の先端に荷重をかけると、このヒンジを軸にして先端が下にたわみます。ただ、このままだと何の抵抗もなくヒンジを軸に回転してしまいますので、次のようにバネを張ってみたいと思います。

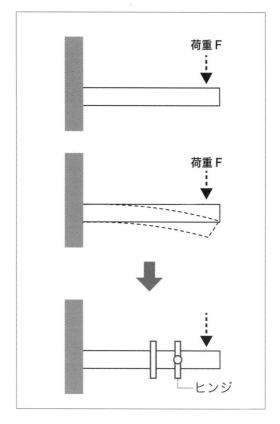

荷重F

荷重F

ヒンジ

※ヒンジ：部材と部材とのつなぎめ。ピンなどを用いて、上下左右には動かないが回転は自由にできるようにした接合の状態。

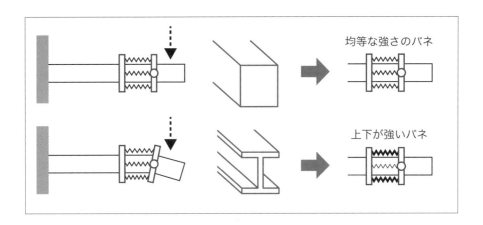

均等な強さのバネ

上下が強いバネ

　話を簡単にするために、バネは上中下と３つでモデル化します。このバネがこの部材の剛性（ごうせい）にあたるものと考えてください。

　さて、まずこの棒の先端（せんたん）を単純に右方向に引っ張ったとします。バネは均等に伸（の）びますね。引張応力がかかった状態で面のどの位置でも応力は同じになります。今度は、先端（せんたん）に下向きに荷重をかけてみましょう。

　Part7 の曲げについて思い出してみます。中立面から上下の表面にいくほど応力が高い状態で中立面がゼロになります。つまりこのバネモデルで言うと上下のバネには思いっきり引張り、または圧縮の荷重がかかった状態ですが、真ん中のバネには何も力がかかっていないような状態です。

　上のバネは引張られ、下のバネは圧縮されますが、真ん中の中立面上のバネはまったく伸（の）びません。つまり、上のバネと下のバネはたくさん仕事をしていますが、真ん中のバネはサボっている状態です。さて、この時に上下のバネが弱いバネか強いバネかで棒の先端（せんたん）のたわみ方が代わります。同じ荷重をかけても強いバネならそんなにたわみませんし、弱いバネなら大きくたわみます。

このバネモデルを、今度は元の鋼材のモデルに置き換えます。垂直の方向に曲げ荷重がかかるのであれば、上下のバネだけ強くして真ん中のバネは弱くても構わないわけですね。

　それってどういうことかというと、強いバネが欲しい領域には材料をたくさん配置して、あまり力のかからない領域の材料は減らしてしまっても大丈夫ということになります。H鋼を見てみましょう。まさに、一番剛性が欲しい上下には部材が目一杯ありますが、中央部分にはそれほど材料がありません。結果的にH型を横倒しにした形になっています。

　断面二次モーメントが小さい向き、つまりこの荷重方向の場合本来のHの字の向きではどうでしょうか。実は、こんな感じになると思います。

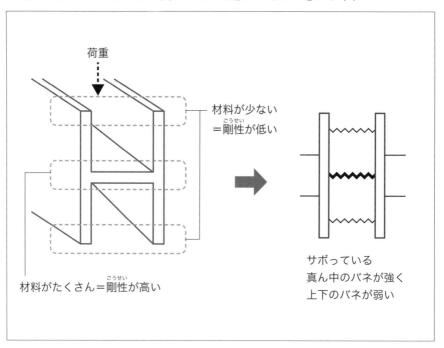

荷重

材料が少ない
＝剛性が低い

材料がたくさん＝剛性が高い

サボっている
真ん中のバネが強く
上下のバネが弱い

さっきとは逆であまり仕事をしない（する必要がない）場所に材料がいっぱいあって、つまりバネが強い状態で、本来は強いバネが欲しい場所、つまり材料がたくさん欲しい場所には材料がなくて結果的に弱いバネの状態になっています。だから、結果的にはあまり大きな荷重に耐えられないし、耐えられても本来使いたい向きと比較すると大きくたわむことになります。

　どうでしょう。なんでＨの形をしているかというと、効率よく材料をケチるために剛性が欲しいところに強いバネ、すなわち材料をたくさん配置し、まあ、あんまり強いバネがいらないところからは材料を取り除いた結果といえるのではないでしょうか。

　言い換えると、荷重がかかる方向とどこに剛性が欲しいかがわかれば、どんな形にすればよいのかがわかるということになりますね。

{Part9} 最適なカタチをコンピューターに考えさせてみる話

強度と軽さのバランスがとれた形にするために、これまでは人間が工学の知識を活用してきました。ところが、最近ではコンピューターのソフトに最適な形状を作らせるという試みが増えています。うまく使えば、これまで思いつかなかったようなカタチも作れるのです。

リンちゃんのお友だちのユミちゃんと弟のタクミくん。やっぱりモノづくりが大好き。

最近では、どんな形状にすると大丈夫か、ということもコンピューターのソフトで計算することが容易になってきました。しかも、以前は非常に高価でプロしか使えなかったのがホビーレベルで使いたいという人でもできるようになってきています。もちろん、きちんとした知識を持っている必要はあるのですが、このようなソフトを使わない手はありません。このトピックのまとめとしてソフトを使って結果を見てみようと思います。

■ できるだけ安全に作ることと軽く作ることの両立をするには

一般的に世の中の多くの製品は、大変に「安全に」設計されています。すでに私たちは、材料が「降伏強度（降伏応力）」や「最大引張強度※」に達してしまうと永久変形したり、破断したりすることを知っています。なので理論的には想定される用途や使用条件下でこの状態にならなければよいのですが、実際には、破壊が考えられる強度よりも、さらに 1/3 程度ものによってはそれよりも更に小さな値を許容する最大の応力と想定して設計されています。

この値を「安全率」と呼んでいます。実際の使用条件下ではいったい何が起こるかわかりません。例えば、ゆっくり座れば大丈夫なイスにジャンプして飛び乗る人がいるかもしれません。ジャンプして飛び乗ると、ゆっくり座るよりもはるかに大きな力が衝撃として加わります。そのような条件でも壊れては困るわけです。

でも、単に安全に作るだけでは製品になりません。頑丈にするだけであれば、極端に肉厚の大きな塊のようなものを作れば良いことになります。でも、そんなことをすれば、製品はとても重たくなりますし、コストも高くなってしまいます。自動車や飛行機のような輸送機器では、製品のコストが高くなるだけではなくて、非常に燃費が悪くなったり、重たすぎて動かないとか飛ばないということ

※最大引張強度：引張試験において材料が破断する時点で発生する応力のこと。

もなくはありません。必要以上に頑丈に作ってしまうことを過剰設計と言いますが、それも避けなくてはなりません。そのための基準の一つとして考えられるのが「安全率」です。想定する最大の荷重をかけた時に、その部品のどこかの応力が「降伏応力」に達する場合、安全率は「1」になります。最大の応力が降伏応力の1/3であれば、安全率は「3」になります。

　多くの工業製品や建造物などでは、安全率を3から6で設計をすることが多いのですが、これは何を設計するのかにもよります。飛行機のように空を飛ぶものでは、むやみに安全率を高くすると重すぎで飛べなくなってしまうことも考えられます。

　このように強さと軽さを両立させるために、構造物にはさまざまな工夫が凝らされるわけです。例えば、分厚い板で作れば明らかに頑丈であることがわかっているものに対して、施されるのが「肉抜き」です。肉抜きとは、穴をあけるなどして材料を減らすことです。樹脂などでは強度のためだけでなく製造上の理由で行われることもありますが、ここでは強度について考えてみたいと思います。ある部品に荷重をかかる場合、その部品のすべての領域に均等に力がかかるわけではありません。力が集中する部分もあれば、ほとんどかからないという部分もあります。力がほとんどかからないのであれば、そこの材料は取り除いてしまったほうが、部材は軽くなるし、材料のコストも少なくてすむので、その方が良いということになります。そのために、いらない部分の材料の肉抜きを行います。

コンピューターに構造を考えさせる

　さて、肉抜きも含めて効率の良い構造は、これまで製品の設計をする技術者たちが、機械工学の知識・知見や経験などに基づいて決めてきました。コンピューターのシミュレーションソフトなどを使って、構造物を解析する場合も、特に設

計工程の中で使用する場合は、あくまでも人間の設計者が設計した構造物を解析する、といった、構造物の確認的な流れでの使われ方がほとんどでした。

　ところが、最近では「トポロジー最適化」という手法を使ってコンピューターに構造を考えさせることが増えてきました。トポロジー最適化自体は、決して新しい技術ではないのですが、ご多分にもれずテクノロジーの進化とともにこれらのことができるソフトが安価に使いやすくなったことで普及してきています。

　「トポロジー最適化」のトポロジーとは日本語で言うと「位相※」のことで、位相最適化ともいいます。この「位相」に踏み込むと、それだけで専門の本になってしまうので、専門の人には怒られてしまうかもしれませんが、ここではトポロジー最適化とは、コンピューターに最適な部品形状を作るためのテクノロジーとしたいと思います。

　トポロジー最適化を活用することの利点はさまざまですが、これまで人間が思い込みであったり、あるいは考えもしなかったりという理由で検討してこなかった形状も実現できる可能性があるということです。さらに、トポロジー最適化に注目が集まっている理由が「3Dプリンター」です。3Dプリンターによる造形は作ることができる形状の自由度が高く、これまでは製造や加工が不可能、あるいは非常にコストがかかる形状も作ることが可能です。いくら構造的に理にかなった形が設計できても、実際に製造できなくては仕方がありません。3Dプリンターでその制限がとても少なくなったことも注目が集まっている理由の一つです。

　面白いのが、ある用途を想定して行ったトポロジー最適化のシミュレーションを行うとまさに、現存の構造物に非常に近い形状が得られることがあるということです。それはどういうことかと言うと、そのカタチが、その用途に多用されているということは、力学的にとても理にかなっているということなのですね。

※位相（トポロジー）：図形と図形の空間的な位置関係。

トポロジー最適化の実例

　ここでごく簡単なトポロジー最適化
の例をやってみたいと思います。用意
するのは、自転車を想定したような一
枚の板です。ただし、サドルが乗っか
るような棒とか、タイヤを取り付ける
ようなカタチはあらかじめ作り込んで
おこうと思います。

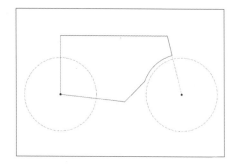

　これに人が乗っかったような想定の条件を追加してみますが、コンピューター
で計算するのは、実線で囲んであるタイヤを除いた領域になります。
　これに境界条件※をつけてみます。
　サドルの部分に約50kg重を、またハンドルの部分に約5kg重の荷重を載荷し
ます。タイヤやペダルが関連する場所に対して、それぞれに適当な境界条件を与
えます。材料としては「合金鋼」を指定します。

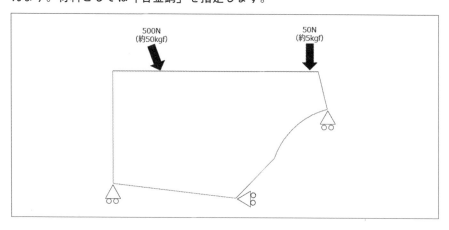

　※境界条件：解析モデルに与える荷重や支持などの条件。

これでトポロジー最適化を実行します。

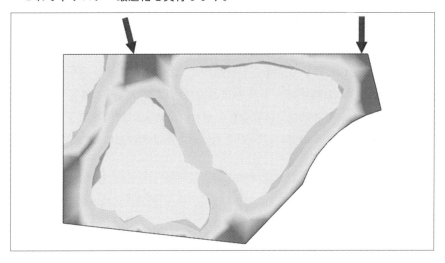

　なんとも面白い結果になりました。実際の自転車のフレームのカタチにかなり近い形状が計算の結果として出てきました。もちろん、実際にはこのように得られたカタチをこのまま使用することは少なく、このようなカタチを元にして最終的な製品の形状を人間のほうで作り込めるようになるというわけです。ただし、より厳密に条件を作り込んでいくことで、最近ではこのようなカタチをそのまま製造して使おうという動きも出てきています。

　先ほどの自転車の例ではないのですが、トポロジー最適化の結果として従来の構造の有効さが証明される場合もありますが、これからは新しい材料や加工方法を取り入れて、こられたのカタチをベースにして新しい製品デザインを模索していこうという動きも出てきています。

Part10 紙のグラインダーで木やプラスチックが切れる話

柔らかいものと硬いものをこすり合わせると通常柔らかい方だけが傷つきます。この関係はヤング率などの材料固有の性質で表現することができます。ステンレス鋼などのヤング率の高い材料をプラスチックなどのヤング率の低い材料で傷つけることは無理というわけです。

さあ、今から、この紙の円盤でこのビニールホースを切ってみるよ！

え～！！　うそぉ～。そんなことさすがに無理じゃないですかぁ～

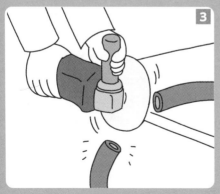

でも、それだけでは、ちょっと説明しきれないものもあります。その例として挙げられるのが「紙」でできたグラインダーです。

紙でできたグラインダー

ネットの動画とか、テレビなどでも、画用紙やコピー用紙のようなごくありふれた紙を丸く切って、グラインダーなどの高速回転するものに取り付けて、ゆっくり割り箸などの木材とか、あるいはプラスチック製のパイプなどにあてていくと、あたかも金属の刃物できっているかのように切れていくのを見たことはないでしょうか？

すごく不思議に思いませんか？

紙は確かに不思議な強さをもったものではあります。紙で指先を切ってしまったことがない、という人はほとんどいないのではないでしょうか？　ボール紙のような少々厚みのある紙の場合でも、ナイフか、と思うくらいにザックリと指を切ってしまうことがあります。

だからといって、画用紙やボール紙を持ち出して割り箸やプラスチック製のパイプに押し当てたところで、割り箸を切ることはできません。押し当てた紙の端っこが歪んでボロボロになってしまうだけでしょう。コピー用紙のような自重でたわんでしまうような紙だと、切るまでもなく少し力を加えて押し当てただけでクニャっと曲がってしまうでしょう。

　回転していてもいなくても、紙の物性は変わらないはずなのに、どうしてそうも結果が変わってしまうのでしょうか？

　その種類にもよるので一概に比較することは少々乱暴なのですが、紙や木材、プラスチック類のヤング率は比較的同じような値なのです。つまり、硬さが同じくらいということですね（紙の原材料はそもそも木ですね）。
　硬さが同じであれば、お互いを削ることが可能ということになります。硬さが同じものを高速回転などでこすり合わせれば摩擦熱などで焼き切ることも可能ですね。ゆえに一見フニャフニャな紙で角材も切ることが可能なのです。
　ただ、問題があって紙はそのまま押し付けるとクニャっと曲がってしまいます。これをピンと張った状態にすればよいわけで、その方法の一つがグラインダーでの高速回転というわけです。

 コピー用紙で作った台

　ここでいったんグラインダーのことは忘れて、紙とペットボトルを持ち出してみましょう。コピー用紙を一枚とペットボトルを３本用意しましょう。ペットボトルのうち２本は中身が入っていても空でも構いませんが、１本は実験を確実にするために重量が欲しいので中身が入っていたほうがよいでしょう。また、でき

れば丸いペットボトルよりも四角いペットボトルの方が安定するので良いと思います。

　ペットボトルを紙の長さの分だけ離してテーブルなどの上に置きます。また、それら2本のペットボトルが動かないように、テープなどでテーブルにしっかりと固定します。なお、中身の入っているペットボトルが1本だけの場合には、空のペットボトルを使用します。ペットボトルを固定したら、コピー用紙をペットボトルの上にそっと置きます。準備は以上です。

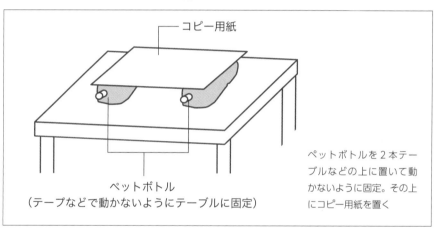

コピー用紙

ペットボトル
（テープなどで動かないようにテーブルに固定）

ペットボトルを2本テーブルなどの上に置いて動かないように固定。その上にコピー用紙を置く

　最初の実験では、このコピー用紙の上に中身の入ったペットボトルをそっと置いてみましょう。

　多分想像がつく人も多いかと思いますが、紙は下にクニャっと曲がってボトルごとあえなく落下してしまいます。この状態では紙はペットボトルを支えられないのです。

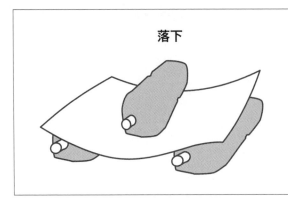

落下

ペットボトルを置くと紙
はペットボトルを支えら
れずに落下

　ここでもう一つ実験をします。落下した紙を元の位置に戻してから、今度は紙
も台にしているペットボトルから滑りおちないように、しっかりとテープなどで
固定します。

　この状態で再度、3本目のペットボトルを紙の上に置いてください。今度は、
コピー用紙はペットボトルの重量を支えて、しっかりと台座の役割を果たしてい
ると思います。

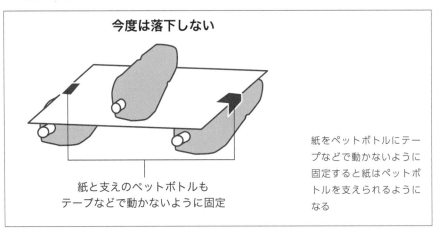

今度は落下しない

紙と支えのペットボトルも
テープなどで動かないように固定

紙をペットボトルにテー
プなどで動かないように
固定すると紙はペットボ
トルを支えられるように
なる

でも、なんでそうなんでしょうか？

「そりゃ、紙が滑りおちないようにしているからだよ」って声が上がりそうですが、紙みたいにたいして強くもない材料がなぜ、テープで動かないようにしただけで、ペットボトルの重さを支えられるようになったのでしょうか。なんで破れたり伸びたりしないんでしょうか？　なぜ、テープで紙を固定しただけで、いきなり強い材料みたいに挙動を始めたんでしょうか？

実はこのあたりに、さっきの紙製のグラインダーで木やプラスチックが切れるようになったのかと同じ秘密があるのです。

引張りの力がかかると剛性が高くなる

基礎知識編で、引張りの力が物体にかかると引張りの応力がかかることは学習しましたね。でも、そのことと、ペットボトルが落ちないことと何の関係があるのでしょうか。

その謎解きをしていきましょう。

例えばある棒があって、片方を固定してもう片方に荷重をかけた時、そのたわみの量は「剛性」というものが影響することも学びましたね。剛性が高いほど同じ荷重でたわみにくく、低いほどたわみやすいわけです。

それをこの紙に当てはめたらどうでしょうか。そもそも薄いコピー用紙を手に持った時、自重さえ支えられないくらいにたわんでしまいますね。それほど剛性がないわけです。ところが両手でピンと張ったところに物を乗っけても、少したわむ程度で、よほど重たいものを載せない限り破れたりもしません。ものが支えられるということは、それだけの剛性の材料になっているということが言えるのです。

今回の例で、コピー用紙を固定した時、ペットボトルを載せると紙はペットボ

トルの重さで下に落ちようとしますが、両端がテープで固定されているので落ちることができません。でも中央が重さで引っ張られているので、紙の面内に「引張り」の力が発生します。引張りの力が発生すると、引張りの応力が発生します。実はこの引張りの応力が「剛性」に寄与しているのです。

　何も力が加わっていない時、「剛性」に寄与するのは、その材料固有の弾性率だけです。ところが力が加わると、剛性は元々の材料の弾性率とその物体に発生した応力の足し算のような形で考えることができるのです。

　ちなみに、引張りの応力がかかると剛性は高くなるし、圧縮の応力がかかると剛性は低くなります。剛性が低くなることについてはまた別の Part で説明します。

　さっきも言いましたが、剛性が高くなるということは同じ力でたわませにくくなることを意味します。引張ると剛性が高くなるって本当にそうなんでしょうか？

　実は比較的簡単に証明することができます。ギターやウクレレなどを持っている人は試してほしいのですが、弦のチューニングの際にペグを巻き上げたり緩めたりしてチューニングしますね。巻き上げると音が高くなり緩めると低くなります。可能であれば、一時的に弦が切れる直前まで巻き上げた時と、適当に張ってはいるけれど若干ゆるいかな、という時とで弦に力を加えてみましょう。前者の方がたわませるのにより大きな力が必要なはずです。つまり剛性が高くなっているということになります。

　このことは間接的に証明することができます。それは、その物体の固有振動数を計算することからわかります。

　その物体の固有振動数は以下の式で計算することができます。

$$f = \frac{1}{2\pi}\sqrt{\frac{K}{M}}$$

　ここで、f はその物体の固有振動数、π は円周率、K がその物体の剛性、M がその物体の質量です（√で表す平方根が遠い記憶の彼方とかまだ勉強していないとかという人はこの記号を無視して考えていただいても、とりあえずここでの説明では大丈夫です）。

　さて、弦を思いっきり張った状態の時には高い音がでますね。つまり、上の式で言うと f が大きい状態です。この周波数を決める要素は２つあって、一つが物体の剛性で、もう一つが質量です。分子の剛性が高くなれば周波数は高くなります。分母の M が大きくなると、より大きな数での割り算になるので、結果的に周波数は低くなります。

　ここからわかることは、軽くて剛性が高いものほど周波数が高いということです。でも、弦を思いっきり張っても質量は代わりません。分数の分子にある剛性が高くなったから周波数が高くなったことになりますね。

　ということは、引張られて、大きな引張応力が高くなったので剛性が高くなったということになりますね。で、剛性が高くなったから、より曲がりにくくなったと言えます。

　ペットボトルの謎がやっと解けました。

　で……、紙のグラインダーの話に戻りたいと思います。それにあたってヤング率と「硬さ」についてのお話を先にします。ヤング率とは、その物体が永久的に変形をしない状態での変形のしにくさを表す指標です。でも、私たちが一般に硬いという時には、それだけではなくて、表面が削られにくいかとか、くだけやす

いかなどの指標もあると思います。そのような表面の硬さについては、別の計測基準が存在します。そのような硬度の指標として、モース硬度（学校の授業で聞いたことがあるかもしれません）、ロックウェル硬度、ピッカース硬度などのさまざまなものがあります。

　何かものを削る時には、刃物は相手よりも「硬い」必要があります。ダイヤモンドカッターが何でも削れるのは、地上に存在する他のあらゆる物体よりも「硬い」ことによります。間違っても指輪のリング部分に使ってはいけないといわれるタングステンは、特にタングステンカーバイドという状態にすると、ダイヤモンドの次に硬いとも言われています（だから、指が太くなって抜けなくてなってしまうと、簡単にカットできず大変なことになるわけです）。

　ということで硬度のことを考えないといけないのですが、それらの指標のことを考え出すとまたまた話がややこしくなってきます。ただ、幸いなことに一般的にヤング率の大きな材料は、硬度も大きな傾向にあります。例えば、ダイヤモンドのヤング率は、1000GPaと鉄の5倍もあります。タングステンカーバイドのヤング率も鉄の2倍以上あります。どちらもとても硬度の高い材料です。ゴムのような柔らかい材料と金属を比較しても同じような関係が見いだせますね。木材でも傷がついて折れやすいスギと比較して、折れにくく表面も変形しにくいカシのヤング率は、倍程度はあります。

　ということで、ここではヤング率は相手を削りやすい「硬さ」と「比例っぽく見える」という仮定で話を進めます。

　何を言いたいのかと言うと、ヤング率が同じ程度の値であれば硬さも同じくらいだということです。で、そのヤング率の値が紙（そもそも木から作られていますね）と木材、プラスチックは同じ程度の値なのです。

　さて、同じ程度の硬さのものを削れるくらい早くこすり合わせるにはある程度

の速さが必要で、それには高速回転するグラインダーであれば大丈夫そうです。

　ただ、ふにゃふにゃだとちょっと難しいですね。そこでちょっとの力ではクニャっと曲がらない程度に張ってもらえばよいということになります。

　今回の紙のグラインダーの場合には、「遠心力」というものがかかります。遠心力の定義も話をすると長くなるので、ここでは現象だけを説明すると、バケツに水を入れてぐるぐると振り回しても、水はバケツからこぼれ落ちることなく、バケツの底に張り付いた状態になります。

　ここで私たちにとって重要なのは、遠心力の厳密な定義ではなくて、ぐるぐると振り回すことで、外側に向って引張るような大きな力が生じるということです。その力は回転速度が大きくなるほど、その力も大きくなります。

　例えば、10,000RPM（毎分1万回転）回せるグラインダーであれば、その力も大きくなることが想定されます。

　だから、高速回転によってピンと張った紙製の円盤で割り箸や、塩ビパイプが切れたところで、それほど不思議ではないのです。ただし、どんなに高速回転させても元の硬さがものすごく違う材料を切ることはできません。例えばアルミを削るとか、あるいは樫（ヤング率はアルミの1/5程度）のような非常に硬い木を削るのは無理な相談です。

　もう一つ別のやり方でその物体の曲がりにくさを比較してみたいと思います。コンピューターによるシミュレーションソフトを使うと、引張荷重をかけなかった時とかけた時との応力を比較することで硬さを確認して見ることができます。ごく簡単な例題で示してみましょう。

　まさしく、薄い紙の円盤に遠心力を与えた時の曲がりやすさを比較します。

　紙で木を切る時に大事なのが、紙のエッジを高速で動かしながら、なおかつ木の同じ場所に当て続けることです。そういうわけで、ちょっと紙を押し付けた時

にクニャっと曲がってしまっては役に立ちません。遠心力で大きな引張りの応力が加われば曲がらなくなるはずなのでその検証をしてみたいと思います。

まず解析モデルはこんな感じです。

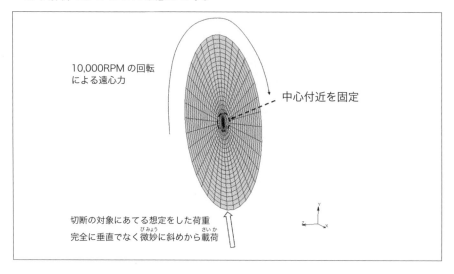

10,000RPM の回転
による遠心力

中心付近を固定

切断の対象にあてる想定をした荷重
完全に垂直でなく微妙に斜めから載荷

回転する円盤を押し付けるイメージで下から100g（0.1N）の荷重を与えますが、微妙に真上から当てられないことも考えて少しだけ斜めにあてています。板の厚みは学校の図工で使う工作用紙の 0.47mm にしました。これに毎分 10,000回転を与えますが、今回は実際に回転させるのではなく、相当する遠心力を与えます。

最初に遠心力のある場合です。

荷重がかかっている部分が少し
曲がっていますが、数値としては
0.3mm 程度です。この程度のブレ
であれば、木を切ることはできそ
うです。

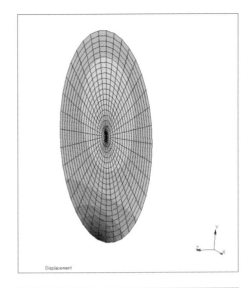

Displacement

続いて遠心力がない場合ですが、
これは 100 グラム（歯磨きで歯ブ
ラシを歯に充てる程度の力）でも
容易に曲がってしまうことがわか
ります。このケースでは 46mm ほ
どの変位量がでています。

曲げ剛性がないものでも、やり
ようによっては曲がらなくなるよ
うですね。

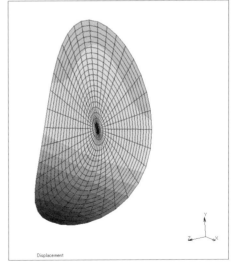

Displacement

バンジージャンプをしても 脚がもげない話

（左側の {Part11} 見出しマーク付き）

バンジージャンプのバンジーが伸び切ったタイミングでは、普通に考えたらすごい衝撃があります。人が 1m 自由落下した時の衝撃は 1.5t と言われていますが、なんでバンジーの紐の場合は脚がもげないんでしょうか？

1
先生、怖いですよ〜。
下ではね返る時に
脚がもげちゃうよ〜

2
階段から
飛び降り
たって痛い
のに…

3
あれが〜〜〜
〜〜〜〜
〜〜〜こうで〜
〜〜〜〜〜〜
〜〜〜〜〜〜〜
〜〜こうなって〜
〜〜〜〜〜〜

大丈夫
だよ！

4
もういい！

そもそもなんで高いところから落ちたら助からないのか

高いところから下を見るととても怖いですね。もっとも、落ちたら命がないような高いところでなくても、落ちるということには衝撃がつきものです。筆者は子どもの頃、遊びで階段の数段の高さからジャンプをした時に、ジャンプ前に少し身構えて衝撃に備えたような記憶があります。

「落ちる」ということ以外でも、衝撃は加わります。例えば、何の気なしに、手を勢いよくぶらぶらと振り回して、振り回した先に壁か柱でもあって、唐突にぶつけたなんてことないでしょうか？　ぶつけた経験のある方であればとてつもなく痛かったという記憶があるでしょう。

でも、その壁や柱の表面に少し厚手のゴムのような素材が張ってあるとか巻きつけられている、というような状況ではどうでしょうか。多少は痛いかもしれませんが、硬い壁に直接手をぶつけるよりははるかにマシですよね。

それのもっとすごいバージョンのようなものが世の中にはあります。ビルの火災などで逃げ遅れて窓やバルコニーに追い詰められた人を助けるための、空気でふくらませる巨大なクッションのようなものを写真やテレビなどで見たことがある、という人もいるのではないでしょうか？　あるいは、同じものをスタントのアクションなどで使っているケースもあります。スタントマンが高いビルから飛び降りるシーンなどで、映画などには写りませんが、最終的にスタントマンはその巨大なクッションの上に落ちるので無傷なわけです。

特別にそのような人為的な設定でなく、誤って子どもがマンションの高層階から落ちた時に、うまい具合に樹木の枝をはじめ色々なものに引っかかって、かすり傷で済んだなんてこともニュースで聞くことがあります。

さて、同じような高さから落ちているにも関わらず、硬い地面に叩きつけられた時と、何らかのクッションのようなものがあった時とで、なんでこうも結果が

違うのでしょうか？

　あ、そもそも、この Part のタイトルではないですが、なんでバンジーの紐で脚が繋がれていると大丈夫なんでしょうか。それよりももっと頑丈な、明石海峡大橋に使用されているワイヤーとかじゃだめなんでしょうか？　まあ、実際そんなワイヤーだったら本当に脚がもげそうですけど。

　私たちは結果として、物体が硬い地面に叩きつけられたら致命的なダメージを負うことを知っていますし、ものすごく柔らかいところに同じスピードで落ちてもダメージがそれほど大きくはないことを知っています。

　でも、なんで硬いとだめで柔らかいと大丈夫なんでしょうか？

つまるところどれだけの時間で減速するのかということ

　さて、この秘密を考えてみるのにちょっとばかり掛け算が必要なのでお付き合いください。

　このような運動を式で表す時には、運動方程式というものを用います。その運動方程式というものは以下のように表されます。

$$F = [K]\{u\} + [C]\{v\} + [M]\{\alpha\}$$

　ここで、K は剛性、u が変位、C が減衰項、v が速度、M が質量、a が加速度です。

　例えば天井からバネを介してぶら下がっている重りを考えてみましょう。この重りを少し下に引っ張って手を離すと上下に振動します。でも永久に振動しているわけではなくて、次第に振幅が小さくなって最終的には静止します。その静まっていく過程に減衰※というものが影響します（振動が減衰しないと非常に困った

　※減衰：振動を弱める働き。

ことになります。例えば自動車のサスペンションは減衰がないと永久に振動し続けるので乗り心地不快極まりないですね）。

　さて、ここで着目したいものが一つあります。それが加速度です。私たちが移動する時、それが徒歩であっても乗り物に乗っている時でも、常につきものです。
　例えば飛行機が離陸する時、速度がゼロの状態から、大型のジェット旅客機の場合には、飛行機にもよりますが、だいたい 3000 メートルの滑走の間に時速 160km 程度にまで加速します。離陸の際には旅客機でも席に押し付けられるような感覚があります。このように時間を追うごとにどんどん増速している時はプラスの加速度が働いている状態です。逆に、着陸の際、特にタッチダウンしてから逆噴射をしている時には締めているシートベルトに押し付けられる感覚がありますし、頭上の物入れでは、中がスカスカだと荷物が多分前方にシフトします。これは減速にともなってマイナスの加速度が働いている状態です。それでは、一定の速度で巡航中の状態はどうでしょうか。これは時間がたっても速度が変わっていないので、加速度はゼロです。

　さて、人なりモノなりが手酷いダメージを負うのか、それとも、鼻歌まじりでいられるのは、この加速度が問題になるわけです。
　先ほどの運動方程式を思い出してみましょう。ここで、K も C も忘れてみます。そうすると式は、

$$F = Ma$$

となりますね。この式、どこかで見たことがありませんか？

学校の理科の時間で見たことがあるかもしれませんが、ニュートンの第2法則の式そのものですね。さて、人やものが空気中を落ちる時は、実際には空気抵抗があるので、きちんと計算していくと色々と面倒です。なので、単純に加速度と力だけで話を進めていきます（余談ですが、筆者がかつてやっていたスカイダイビングでは、数人でジャンプして色々なフォーメーションを組みますが、腕や脚の位置を変えたり体の向きを傾けることで、向きを変えたり水平移動します。それこそ空気抵抗のなせるわざです）。

ということで、徐々に本題に入っていきたいと思います。

まず、同じ高さから落ちた時の位置エネルギーは、地面が硬かろうと柔らかかろうと変わらないわけです。では、どこでその影響が出てくるのでしょうか。実はそれは、減速する時です。

空気抵抗を無視した時、人やものが地面に達した時の速度は、落下を始めた高さによります。例えばビルの5階から落ちたとすると、ビルの種類にもよりますが、だいたい15メートル前後の高さから落ちることになります。まず落下時間ですが、以下のようになります。

$$ t = \sqrt{\frac{2 \times h}{g}} = \sqrt{\frac{2 \times 15}{9.81}} \approx 1.75 \text{秒} $$

ここで、tは落下にかかる時間、hは高さ、gは重力加速です。重力加速度はどの星にいるかによって異なりますが、私たちがいるのは地球なので、約9.81m/s^{2}です。

まあ、いずれにしてもあっと言う間ですね。で、地面に到達した時の速度ですが、これは次の式で計算できます（空気抵抗は考えません）。

$$v = \sqrt{2 \times g \times h} = \sqrt{2 \times 9.81 \times 15} \approx 17.15$$

これは秒速 17.15m なので、時速だと 61.74km/h になります。普通(ふつう)に自動車に乗って走っているような状態ですね。ビルの 5 階から落ちると、地面に到達(とうたつ)する時にはたったの 2 秒弱でこんなに早い速度になっているのですね。

で、ようやくどうやったら助かるか、という話になります。

ここで先ほどの運動方程式を思い出してみましょう。F = Ma ですから、荷重 F は、質量が同じであるならば、加速度が大きければ大きいほど大きくなることがわかりますね。旅客機は大型機の場合、3000 メートル以上の滑走距離(かっそうきょり)でそれなりに時間をかけて離陸速度(りりく)に達しますが、空母に搭載(とうさい)されているジェット戦闘機(せんとうき)は、カタパルトで打ち出された場合、ほんの 100 メートル程度で同じような離陸(りく)速度に達しています。つまり、旅客機の加速度はジェット戦闘機(せんとうき)よりはかなり小さいことがわかります。これはそのまま乗っている人に影響(えいきょう)します。旅客機にかかる加速度であれば、日頃(ひごろ)から特別な訓練をしない人たち（それこそ赤ちゃんまで）も問題なく乗っていられますが、いきなりジェット戦闘機(せんとうき)でスチームカタパルトから打ち出されるというとそう簡単な話ではないでしょう。

この加速度の厳しさは減速時にも同様に適用されます。数式上のサインのプラスかマイナスかの違(ちが)いはありますが、より短時間で（短距離(きょり)で）制動(せいどう)※がかかれば非常に大きな加速度がかかりますし、距離(きょり)をかけて、つまり時間をかけて制動をかければ加速度は小さくなります。つまるところ体やモノにかかる荷重も小さくなることになります。

で、なぜ硬(かた)いとダメージが大きくて、柔(やわ)らかいとダメージが比較的(ひかくてき)小さいのかという話になってきます。

※制動：運動する物体を減速、停止させること。

ここから先はなんとなく想像がつくと思うのですが、コンクリートのような極めて硬い表面はほとんど変形しません。実際には、最初の落下ではエネルギーを吸収しきれずバウンドしてしまうことになると思いますが、いずれにしても減速距離の余地が非常に小さいわけです。

　ところが、先ほどのスタントマンが落下するような大きなエアクッションであればどうでしょうか。その製品の仕様にもよりますが、高さ15メートル前後を想定したものだと、エアクッションの高さは2.3mあります。つまり、時速61kmからゼロになるまで減速するのに最大で2.3mかせげるというわけです。この違いがどういう違い生むのかを見てみます。

　衝撃力は以下の式で計算することができます。

$$F = \frac{m\,v}{\Delta t}$$

　ここで、mはその物体の質量、vはぶつかった時の速度、Δtは速度ゼロに至る制動にかかった時間です。この式を見てわかるのは、Δtがゼロということはありえません。ゼロだと衝撃力は無限大になってしまいますから。実際問題、どんなに硬い物質と思われるものでも、微妙にはたわみます。つまり、極小とはいえ、Δtはゼロにはなりません。

　さて、実際にたわんだ量を仮にuとします。この時Fとuやvには以下の関係がなりたちます。

$$F = \frac{m\,v^2}{u}$$

ということで、簡単な計算をしてみましょう。重量60キロのものが、高さ15mから落下するとして、制動距離を仮に1cmとしてみます（実際の地面はもっと硬いかもしれませんが）。これらの値を計算すると、衝撃力は、約1.76x106N、キログラム重でいうと約180トンもの大きさになります。これでは、ほとんどのものは壊れてしまいますね。

　では、制動距離が、2.3mだったらどうなのでしょうか。衝撃力は一気に、7672N、あるいは約783キログラム重になります。ものすごく小さくなりましたね。

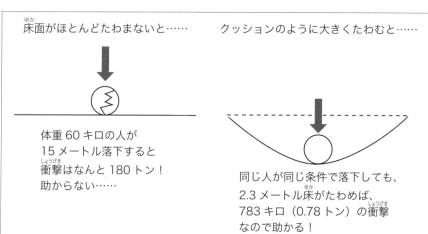

床面がほとんどたわまないと……

クッションのように大きくたわむと……

体重60キロの人が
15メートル落下すると
衝撃はなんと180トン！
助からない……

同じ人が同じ条件で落下しても、
2.3メートル床がたわめば、
783キロ（0.78トン）の衝撃
なので助かる！

　ちなみに人の体は、だいたいのどのくらいの衝撃にまで耐えられるのでしょうか。

　登山装備の研究をした論文によれば、だいたい1200キログラム重までの荷重だったら大丈夫だそうです（もちろん、全体に1200キログラム重なのか、例えば腕だけに1200キログラム重なのかで、人体そのものに対する重篤※率も変わるかと思いますが）。と考えると、普通の地面では確実に人生が終わってしまい

※重篤：症状が非常に重いこと。

ますが、確かにスタントマンが落ちるエアクッションはかなり安全のマージンがある、ということになります。

　ということで、最後にバンジージャンプの話に戻りますが、バンジージャンプの紐はまず、伸びていない距離に達してから徐々に伸びていき、落下速度がゼロになると、今度は伸びたバンジーが元の長さに戻る時、上に跳ね上がります。バンジージャンプの場合、落下する距離がかなりあるので自由落下終了時の速度も早いですが、バンジーの伸びで減速するマージンもかなりあるので、結果的に人体にはそれほどの負荷がかかりません。

　もし、紐が鋼鉄製のワイヤーだったら、ほとんど伸びませんから、どういうことが起きるか考えただけで恐ろしいですね。

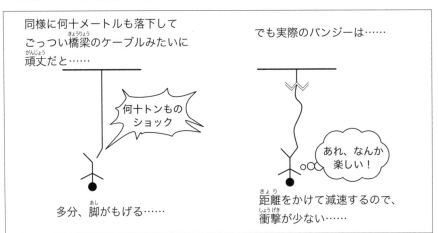

　剛性が小さいということは、こんな時に人やものを助けてくれそうです。
　ゴムのような素材は、大きく変形するこで、衝撃を吸収し、目的を果たしたら元の形に戻ります。ただし、衝撃を少なくして減速する方法は、剛性が低くて変

形したあとに元に戻るような素材ばかりではありません。金属のような材料でもバネのような形にすれば、ゴムのような素材と同じような役割を果たすことができます。

　また、金属などは一定以上の応力がかかると塑性（66 ページ参照）とよばれる永久変形を起こしますが、塑性の状態に入ると一気に剛性が低下します。つまり変形しやすくなるので、やはり距離を稼げてより低い加速度で衝撃を吸収します。壊れてもよいので、という場合はこのような形で衝撃を吸収できますね。

　時々建物の上から地面に卵を落としても卵が割れないようにするアイデアを競うようなことがあります。どのアイデアも、どうやって衝撃を吸収するのかということに当然フォーカスしていますが、どれもいかに限られたスペースの中で減速の時間をとってやるかということになりますね。

　ただ、ごく薄いゲル状のシートの上に卵を落としても割れないという動画などを見たことがあるかもしれません。この場合には衝撃の吸収に粘弾性という特性を持つ材料を使っています。これについては、Part21 でご説明します。

Part12 象が踏んでも壊れない筆箱の話

「象が踏んでも壊れない」というキャッチコピーで有名な筆箱があ
りますね。かなり以前から今に到るまで販売されている超ロングセ
ラーの製品です。筆者も子どもの頃の記憶があったので調べてみた
ら、昭和40年に最初に発売されたということです。

1

新しい筆箱を買ってもらったよ！
象が踏んでも壊れないやつ！

2

お、すげーじゃん。
よこせよ

やめてぇ～！

3

たぁー！！

4

痛ぁ～～！！

118

リンちゃんのクラスメートのヤヨイちゃんとツトムくん。
モノの強さが気になっちゃう。

さて、そんなキャッチコピーを持つ筆箱なので、当然ながら破壊を試みる人は少なくなく、昨今はそのような実験を YouTube などで見ることもできます。実験の条件はさまざまなので、中には壊れたという報告もあるようですが、基本的には相当なことをやられても耐えきっていることが多いようです。そんな頑丈な筆箱ですが、象が踏んだら壊れる筆箱とはいったい何が違うのでしょうか。

そのヒントが、メーカーのウェブページに記されています。それが「ポリカーボネート」というキーワードです。

象が踏んでも壊れないためには何が必要？

なぜ、ポリカーボネートが良いのでしょうか。

それを考える前に、象が踏んでも壊れないために何が必要かを考えてみましょう。まず、考えたいのが変形のしにくさです。つまり剛性ですね。剛性が高ければ筆箱はそれほど変形をしないので中身が壊れるなんてこともありません。もちろんある程度変形してもよいのですが、バンジージャンプの紐みたいにものすごく変形するようだと、中身が壊れてしまうので、剛性はある程度欲しいわけです。その剛性を決めるのは材料そのものが持つヤング率（弾性率）（61 ページ参照）とその素材を使う部品の形です。厚さが 1 センチあるアルミの板を曲げることは容易ではありませんが、厚さが 1 ミリだったら容易ですし、アルミホイルなら造作もないというように厚さも重要な要素です。このあたりを忘れてしまった人は、基礎知識編を読み返してみましょう。

もう一つ大事なのが強度ですね。どんなに剛性が高くても強度がないと、大きな荷重がかかった時にあっさりと壊れてしまいます。また、基礎知識編では延性材と脆性材のお話をしました（66 ページ参照）。筆箱も変形してしまえばものの役には立たなくなりますが、そうは言うものの、いきなり砕けても困るので、延

性材でちょっとダメージがあってもすぐに壊れないほうがよいでしょう（このような特性のことを靱性といいますが、ここでは詳細の説明は省きます）。

　なお、余談になりますが、筆者が子どもの頃には「缶ペンケース」なるものも流行っていました。ブリキ素材などで表面に塗装が施されていました。それはそれで軽くて使いやすかったのですが、ちょっとぶつけると凹んでしまいました。

　さて、これらのことを総合すると、ある程度は剛性があって、かつ強度がそれなりに高いことが重要です。さらに毎日持ち歩く筆箱なので、重量もできるだけ軽いほうがよいでしょう。そうなるとプラスチックというものは素晴らしい候補になるわけです。

　ということでプラスチックについてお話をしていきましょう。プラスチックは高分子材料と呼ばれるものの一種です。ちなみに、その高分子とは、分子量（分子を構成する原子の重さ＝炭素 12 を基準にして）が 10000 を超えるもの、という定義になっています。

　私たちは、日常的に「プラスチック」と簡単に語ってしまいがちですが、プラスチックにも多くの種類があります。そして、その種類も非常に多く、性質も実に多様なのです。普段それほど意識したことはない、という人でも ABS とかポリエチレン、アクリル、ナイロンなどの言葉は聞いたことがあるかもしれませんね。どれもひとまとめにするとプラスチックですが、あるものは柔軟性があり、またあるものは砕けやすい。熱に比較的強いものもあれば、化学薬品に侵されにくいものもありますし、当然逆の性質を持つものもあります。どれもこれも元はと言えば石油から生み出されたものですが、最終的な材料としては実にバラエティに富んでいるのです。

　で、ポリカーボネートを考えてみましょう。アルファベットで「PC」と略されることもありますし、「ポリカ」なんて言ったりすることもあります。これが

どんな素材なのか、なんでこの材料を使うとよいのかを考えてみたいと思います。

　ちなみに、またまた余談ですが、この Part を書くにあたって、筆者も「象が踏んでも壊れない筆箱」を購入してみました。筆者の体重程度では、それなりに変形はするものの、どうと言うこともありませんでした。

　ということで、さっそくポリカーボネートの材料物性について語ってみましょう。まず、さきほどの話題にした変形のしにくさを示す剛性を考えてみます。実はプラスチックの面倒なところは、ベースとなる材料が同じであっても、色々なグレードがあって、結構物性がさまざまであることです。樹脂そのものでは剛性があまりなくても、ガラス繊維などを混ぜて強化するなんて場合もあります。ということで、ここではいくつかの数字を調べた結果として、2,400MPa というヤング率を使うことにします。象が踏んでも壊れない筆箱については、正確な物性がわかりませんが、あるポリカと比較して、例えば鉄と同じように強くなるということもないので、この値で話を進めます。ちなみに、合金鋼などのヤング率は、210,000 MPa です。つまりプラスチックと比較するとオーダーが二桁も違います。もし、同じ形状、同じ肉厚で筆箱を作っていれば、ポリカーボネートの方が 100 倍近くも変形しやすいということが言えるのです。

　他の比較的硬めの樹脂を使った場合、当然ヤング率はある程度変わりますが、合金鋼のようにオーダーが二桁も違う、みたいなことはありません。

　もう一つ考えないといけないことがありましたね。それが、降伏応力と最大引張応力です（65 ページ参照）。ポリカーボネートはプラスチックの中では固くて粘りのあるものなので、応力ひずみ関係の曲線を描くと降伏点がありますが、象のような巨大な重さが乗っかる時には降伏点を超えたら一気に変形が進んで破断することが考えられますので、ここでは降伏応力で破壊されると考えることにし

ます。当然この値も材料のグレード等によって変わるのですが、ここでは降伏強度は 62MPa、最大引張強度は 69MPa とします。

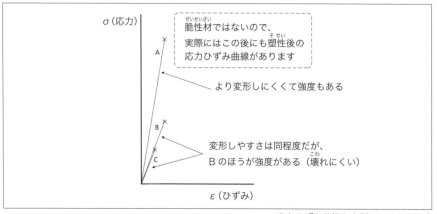

応力ひずみ曲線と変形しにくさと強度

上図のBとCのように変形しやすさは同じでも強度が違うものが存在します。自動車などでよく聞かれるハイテン鋼のヤング率は通常の鋼板と特に違いはありませんが、強度が異なります。その場合、永久変形するまでより大きな荷重に耐えられます。塑性による永久変形と比較すると通常弾性変形(66 ページ参照)は、ほとんど変形していないに等しいと言えます。

材料のことがわかったら、今度はどのような力が筆箱にかかるのかを考えてみたいと思います。今回上に乗るものは「象」とはっきりしていますが、象と言っても何種類かいるのでそれを決めないといけません。小型のマルミミゾウは、2,700 キロ程度です（とは言っても重たいですけど）。一番大きなアフリカゾウの場合には、6,000 キロにも達するようです。ということで、ここでは一番厳しい条件になるアフリカゾウで考えてみます。あの小さな筆箱に 4 本の脚を載せるわけにはいきませんから、脚一本分とします。それでも、1,500 キロ（1.5

トン）ですから、相当な重さです。実際、メーカーのホームページで試験をしている動画がありますが、やはり 1.5 トンの荷重をかけてテストしているようです。あとで、コンピューターを使ってシミュレーションをしてみようと思いますが、そこで使う荷重は N（ニュートン）である必要があるので、重力加速度の 9.81m/s2 をかけて、14,715N とします。

　ところで、もし材料が他の樹脂だったらどうなんでしょうか。なお、あまりにも剛性がない樹脂は今回の趣旨とは外れますので比較の対象から外します。例えば、ABS と呼ばれる樹脂を考えます。ABS は使い勝手がよくて私たちの身の回りの製品にも非常によく使用されているプラスチックです。ABS のヤング率は、2,200 MPa 程度なので、実は変形のしにくさという観点から見ればポリカーボネートとそれほど大きな違いはないのです。でも、降伏強度や最大引張強度は違います。ABS の降伏強度は 20MPa 程度、最大引張強度は 29MPa 程度です。つまり、同じ形状の筆箱であれば、まだ子どもの象であっても ABS の場合には踏み潰されてしまう可能性があるということです。

　なお、荷重がかかる際には、象さんがじわじわとゆっくり乗ってくることを想定しています（実際に行われている試験もそのようにされています）。バンジージャンプの Part で説明をしたように、ドスンと勢いをつけて踏み潰すような衝撃荷重では、1.5 トンではすまないはるかに大きな荷重がかかってしまいます。さすがに、この筆箱もそのようなことは想定されていないはずです。衝撃で壊れたとしても、静的な荷重よりはるかに大きな力が働いているので、その場合には壊れたとしても不思議ではありません。

 シミュレーションで試してみる

　筆者が持っている象が踏んでも壊れない筆箱の基本的な寸法のみで、3D のモ

デルを作成しました。ただし、細かな形状については再現していません。また、本来は、箱の上下と中敷の合計３パーツで構成されていますが、今回は解析の単純化のために、上ぶたのみで解析を進めました。

　また、筆箱は上下および左右対称なので、1/4 にモデル化しています。そのため、かけている荷重も象の脚一本分のさらに 1/4 で 375N としました。結果としては以下のようになりました。

ポリカーボネート

　一部数値計算上の問題で破壊されているように示されている場所もありますが、実際には、モデル全体として象の荷重に耐えていることがわかります。次に比較として解析をしてみた ABS で作ったモデルを確認したいと思います。

ABS

変形量はほとんど同じなのですが、ほとんどの部分が濃い色になってしまっています。これは破壊される強度を超えて応力がかかっていることを示しています。変形のしにくさが、ほぼ同じだったとしても、その材料が持つ最大の強度しだいで壊れるか壊れないかが決まることがわかります。ちなみに、まったく同じ形状、同じ厚みのアルミで比較してみたらどうでしょうか。

アルミニウム

　変形量は小さく、また安全率が大きく（破壊される応力よりも十分に小さな応力しか発生していない）破壊や永久変形の心配がないことがわかります。変形が少ないのアルミの剛性がPCやABSに比べてかなり大きいこと、また安全率が高いのは、発生している応力に対して強度がかなり大きいことにもよります。

　材料の観点から見た時、重量と強度の観点から見た時、ポリカーボネートという選択は理にかなったもののようですね。

スプレーするだけで強くなる塗料の話

スプレーするだけで物体が強くなる塗料があることを聞いたことがあるでしょうか。ネットでも「塗装するだけで強くなる」みたいなキーワードで検索すると、その手の記事や動画が見つかります。アメリカの科学的なエンタメ番組でも放送されたことがあります。

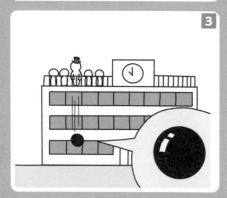

スプレーで塗装されただけで強くなる？

　タワーの上からこの塗料でペイントしたスイカを落としたら、砕けることなくまるでゴムボールのように変形しながら弾んだり、この塗料をスプレーしたブロック塀の至近距離で爆発を起こしたりしてもブロック塀が崩れたりしないなど、見応えのあるものです。

　もちろん、ペイントなら何でも良いというわけではありません。例えば、自分が作ったプラモデルにプラモデル用のペイントをスプレーしたところで壊れなくなるわけではないですし、自動車などに普通に使われる塗装で壊れなくなったなどの話も聞いたことはないと思います。ということで、その謎を探っていこうと思います。

　さて、そのようなスプレーで塗装されたものは本当に強くなるのでしょうか？もちろん、構造物全体としては、壊れていないので強くなったとは言えるのですが、そもそも元の物体に対してはどのような影響を与えているのでしょうか。

　ちなみに、この魔法のような塗料について少しだけ述べておきましょう。この夢のような塗装の材料として使用されているものは「ポリウレア樹脂」という樹脂（つまりプラスチックなどの仲間）です。このポリウレア樹脂は、デモンストレーションなどで見られるような優れた耐衝撃性や耐爆性能を持っているだけではなく、防錆、防蝕※、耐摩耗性、耐久性、耐化学性などを持ち合わせている、スーパーマンのような性能を持っている樹脂です。

　自動車産業における用途がよく知られていますが、工場やその他重要施設などのような構造物などでも使われているようです。ちなみに、聞くところによると、アメリカやイギリスの自動車メーカーでは、純正メーカーオプションとして荷台保護用の塗料として使用されている例もあるようです。

※防蝕：金属が腐食するのを防ぐこと。

さて、そのポリウレア樹脂（じゅし）ってなんでしょうか。簡単に言うとイソシアネート※とアミノ基※の化学反応でできるウレア結合※が主体になった化合物です。ウレア結合でできたものは、ウレタン結合※などと比較（ひかく）すると結合力が強く、また効果時間も早く、先ほど述べた優れた耐久性（たいきゅうせい）なども持ち合わせています。

ただ、こんなに優（すぐ）れた性能を持ち合わせたポリウレア樹脂（じゅし）ですが、この樹脂を高純度で製造することが難しいのです。それを実現しているのが、まさにこの塗料（とりょう）だと言えるのです。

おまけに使い方もそれほど簡単ではありません。というのも「硬化（こうか）が早い」ということは、手早く作業をしないとあっと言う間に固まってしまうということです。動画などを見てもわかりますが、普通（ふつう）のペンキやスプレーの塗料（とりょう）と違（ちが）って、元々材料が混合した液体があるわけではありません。スプレーで吹（ふ）き付けるタイミングで混ぜ合わせているのです。

おっと、このまま行くと話が脱線（だっせん）するので元（もど）に戻します。この塗料（とりょう）は、普通（ふつう）のペンキなど違（ちが）って、いったん硬化（こうか）すると非常に柔軟性（じゅうなんせい）があってかつ強度もある挙動をすることになります。でも、そんなに優（すぐ）れた材料であるならば、なんで単独で使ったりしないのでしょうか。簡単に言えば、一つの構造体として自立するような剛性（ごうせい）を持ち合わせていないというのが、その理由と言ってもよいでしょう。

ということで気がつくことがあるかもしれませんが、それぞれの材料単独では、弱いところが目立ってしまうのに、結構性質の違（ちが）う材料を組み合わせると、合わせ技（すば）で素晴らしい構造物になるということです。実は、このような合せ技の妙（みょう）は、至るところに存在します。そのような材料を複合材と言います。

※イソシアネート：ポリウレタンの材料となる化合物。
※アミノ基：－ NH2 で表わされる基 (原子団) でアンモニア (NH3) から水素を1個除いたものに相当。
※ウレア結合：イソシアネートとアミノ基（－ NH2 ）との結合。
128 ※ウレタン結合：イソシアネートと水酸基（－ OH ）との結合。

元の材料が強化されるわけではない

ただ、この塗料とスイカ（あるいはブロック塀）の場合を考えてみると、確かに構造体全体としては壊れるわけではないかもしれないですが、元の材料自体が強化されるわけではありません。

例えば、窓に貼る防犯用のフィルムを考えてみましょう。家の窓ガラス単体では、日常は特に問題がなくても、台風などでモノが飛んできたり、あるいは家に侵入しようとする悪い人が何か硬いもので叩いたりしたらあっという間に割れてしまいます。

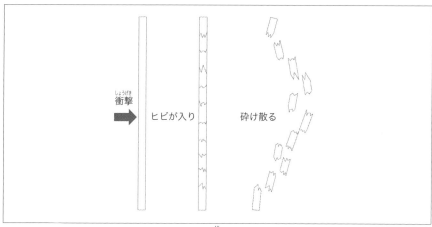

衝撃 → ヒビが入り　　　砕け散る

ところが、そこに防犯用のフィルムを貼り付けたらどうでしょう。防犯用のフィルム自体は自立することができません。無理やり立てようとしても無駄な努力でしょう。でも、窓に貼り付けたら自立する必要はなくなります。

そこで、再度この窓を、例えば金槌などで思いっきり叩いてみましょう。窓ガラスそのものは同じように衝撃で割れてしまうかもしれません。しかし、フィル

ムのほうは千切れることもなく、多少伸びたりすることはあるかもしれませんが、くっついている窓ガラスとともに板状の構造は保持し続けている可能性が高いのです。つまり、単独ではどうもいけていない材料でも、異色のコンビにした瞬間に双方の良いところが際立った構造体になるのです。

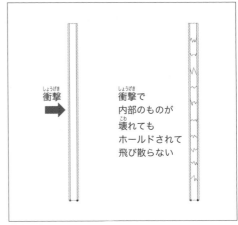

これは、台風の時に窓に応急処置で貼る養生テープも同じことです。窓ガラスが割れないわけではないのですが、養生テープのおかげで少なくとも飛散防止にはなります。

同じことが、夢の塗料とスイカとか、夢の塗料とブロック塀についても言えるでしょう。塗料自体は自立できないけれど、それはスイカやブロック塀が保ってくれていて、いざその構造物が壊れたとしても、いっしょにくっついている塗料がバラバラになるのを防いでいるような状態ですね。

そういう意味では、この塗料が元の材料を強化したわけではありません。元の材料は元のままです。ただ、２つの異なる材料がエクストリームな環境下でもバラバラにならないでいることで、構造物全体としては、エクストリームな環境に耐えられるような構造物になっているということですね。

ちなみに、YouTube などに上がっている動画だけではなく、ポリウレア樹脂を使用した耐衝撃性の強化などについての研究も行われていて論文なども発表されています。

さて、実験など見応えのあるものはネットで動画などでも見ていただくとして、

ここではコンピューター上でシミュレーションをやってみたいと思います。

　まず、ガラスの物性を想定した厚さ5mmほどの板の中央部分に衝撃となる荷重を与えます。板の上下の端は動かないように固定するものとします。

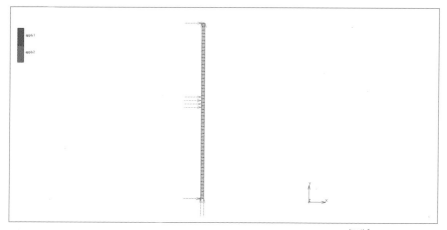

　データはある条件でバラバラになるように作っていますが、解析結果として、この板はピークの荷重を迎える前に、以下のようにバラバラになってしまいます。

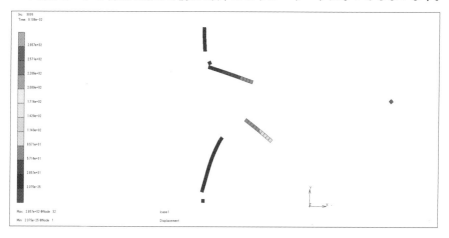

今度はこのガラスを想定した板と全く同じ物性や条件の材料の上に（画面上では板の左側に）厚さ 1mm の樹脂を想定した材料を付加し、ガラスとは接着されているという想定の設定にします。

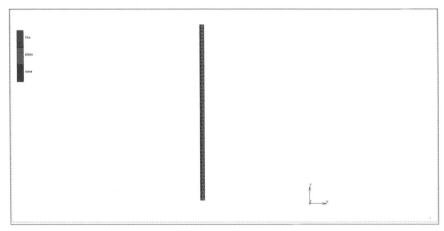

固定の条件や、荷重の条件は以下のとおり、ガラス単体のものと同じです。

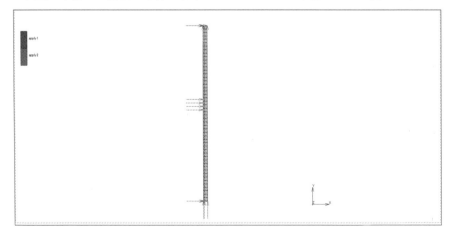

同じ大きさの荷重がかかったタイミングで比較してみますと、以下のようにガラスの板はバラバラにならずに耐えていることがわかります。

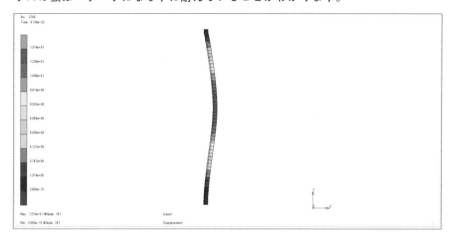

Part14 勢いよく座ったら壊れたイスの話

序章にて、中学の時に技術の時間に使った筆者のイスが壊れた悲しい思い出のお話をしました。まあ、今となってはそれすらも懐かしい思い出だったりします。そして、せっかくなので、壊れたままの思い出を、ものづくりに活かす思い出に変えようと思います。

イスはなぜ壊れたのか

早速ですが、どんなイスだったのかを考えたいと思います。普通のイスはたいていこのような形のバリエーションだと思います。

つまり、一人がけのイスであれば、脚が4本あってその上に座面があります。背もたれがあったり、なかったり、はあると思いますが、そこは今回の本質ではありません。すごく簡略化して絵を書くと左下の図のような感じですね。

でも、この時のイスは右側の図のような構造でした。いわゆる折りたたみタイプにあるイスですね。

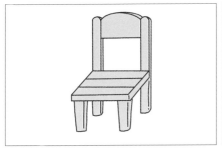

一人がけのイス

折りたたみタイプのイス

会議室なんかに置いてある脚やフレームが金属パイプの折りたたみイスです。基本的に4本脚という点は変わりません。折りたたみのパイプイスなどは、前脚同士、後脚同士が一本のパイプとしてループを描いていますが、基本的な構造は変わりません。でも、座面に対する4本の脚の関係がことなります。通常のイスでは前脚は座面の前のほうを支え、後脚が座面の後ろ側を支えます。ところが、折りたたみイスの場合には、ちょっと違いますね。座面の前方は基本的にフリーです。

2次元的に横から描くと次ページのような感じでしょうか?

135

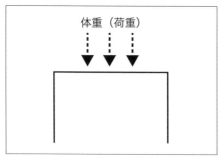

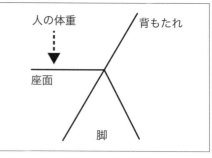

体重（荷重）

背もたれ

人の体重

座面

脚

一人がけのイス 　　　　　　　　　　　折りたたみタイプのイス

　同じイスでもちょっと構造が異なりますし、したがって荷重に対して構造物が
どう耐えるのかを、それぞれ考えてみる必要があります。今回話題にしている壊
れたイスは後者の折りたたみ型のイスでした。

　ということで、ここから先は、後者の片持ち梁構造のイスを中心に話を進めて
いきます。

　で、このイスはフルサイズのイスではなくて、少し小型の手に持って持ち運べ
て、ちょっとアウトドアなどで疲れた時に座るのにちょうど良さそうな大きさで
した。

　さて、なぜ壊れたのかを探るにあたって、壊れた時の状況を思い出してみたい
と思います（ン十年かたっているので細かいところは忘れましたが、壊れた瞬間
は覚えています）。

　折りたたみタイプのイスは数多く、上記で説明したような片持ち梁形式のイス
だってたくさんありますが、そうそう簡単に壊れた話しは聞きません（そんなに
簡単に壊れたら困りますし、メーカーもクレームの嵐でしょう……）。

　で、肝心のイスですが、授業で組み立てることが目的なので別に私がインチキ
な設計をしたわけではなくて、少し自分でも加工をしなければいけないような

キットだったと思います。なので、ノコギリやら鉋やら金槌で木材を加工して組み立てた覚えがあります。ヒンジなどの部分の金具は提供されていました。基本的には手順書の通りに組み立てていけばできるようなものです。人によって、実にスムーズな折りたたみができているものから、多少ギクシャクしているものまでさまざまでしたが、まあ、誰も失敗はしていなかったと思います。最後にペンキで好きな色に塗装しておしまいでした。

　そんなわけで、さすがに普通に座っただけでは壊れるものではありません。実際、塗装が乾いてから自分で座ってみましたが、もちろん普通に座れました。

　技術の時間だけではできなかったので、自宅に持ち帰って暗くなるまで作っていましたが、なんとか出来上がったので翌朝学校に持っていきました。

　で、4コマ漫画と同じその瞬間が訪れます。

　「お、いいのできたじゃねえか」と言うや否や、奴は、思いっきり勢いをつけて（というよりも落下する勢いで）腰をおろしました。

　バキっ！という音とともに、座面は途中から折れてしまいました。

　あっと言う間のできごとでした。彼も別に壊そうとしたわけではなくて、悪ふざけのつもりだったので壊してしまったことに固まっていました。その後イスはというと、彼は責任を持って直すといってその日に夜何時までやっていたのかはわかりませんが、翌日に直してもってきました。とはいっても、もはや私の作品とは言い難いので、もう何の感慨もありませんでしたが、今回のトピックはそのことではありません。

　なんで、普通に静かに腰を下ろしたら、そのイスは大丈夫だったのに、思いっきり落下するように腰を下ろしたらいとも簡単に折れてしまったのでしょうか？まあ、実際に売っている商品としてのイスであれば、このような状態でも壊れることはないですし、どちらかというと自分のお尻のほうが痛くて飛び上るという状態ではないでしょうか。また、その時に壊れたのと同じようなイスであって

も、壊れることはなくてお尻に突き飛ばされて、勢いよく飛んでいくかもしれません。

　要するにイス自体にしっかりとした強度が無かったということは言えるでしょう。それでも、静かに座った時と勢いよく座った時の違いが何かということは知りたいですよね。

座った時の荷重を考える

　先ほど、このイスは片持ち梁のように簡略化して考えることができるということをお話ししました。厳密に言えば、イス全体としても脚が荷重を支えているわけですが、今回はそのことについては無視して座面のことだけを考えてみます。

　それから座面の形状ですが、実は数十年前のことゆえはっきりと構造は覚えていないのですが、よくあるイスのように一枚板の座面ではありませんでした。細長い板を組み合わせた以下のようなものでした。寸法については記憶が定かではないのですが、今回は座面の奥行きと幅がともに 300mm、板厚を 10mm 程度の座面の板を 30mm 角の角材の棒が支えている構造で考えてみました。大体以下のようなイメージの座面と思ってもらえれば良いと思います。板同士は木ねじで留めていたと思いますが、今回はそれも無視して考えます。

手前がイスの前方、後ろが脚（あし）に固定され、たたむ時には上方向に回転します。さて、この時の荷重はどう考えたらよいでしょうか。例えば今回のケースでは、おそらく座面の手前の横板2から3枚くらいに思い切りお尻（しり）を下ろした感じではないでしょうか。

　とすると、体重を座面として支えるのは実質5枚の横板がのっかっている下側の2枚の板ということになります。中学3年生の男子は、人にもよりますがもう大人とそれほど体格も変わらない生徒を想定して、60キロの体重を想定します。そうすると、1本のサイドの棒で30キロの体重を支えるということになります。細長い板にとってはひょっとしたら厳しい状況（じょうきょう）かもしれませんが、一応強度を計算してみましょう。

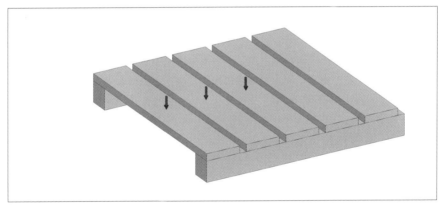

　まず、手計算してみましょう。モデルとしては、2枚ある板は同じだけの荷重を受け持つと考えて片方だけを考えます。つまり、板一枚で30キログラムの体重を引き受けることになります。片持ち梁（はり）のモデルなので、次ページのような感じになりますね。

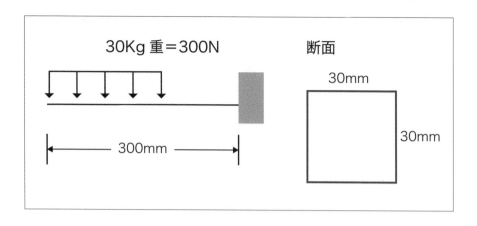

30Kg重＝300N　　　断面

300mm

30mm

30mm

　そんなに難しい問題ではなさそうです。体重は本来、座面の手前から奥にまで分散してかかっていますから、このように先端のみにかかる荷重条件とは違います。等分布荷重と考える計算式もあり、一点の荷重の場合と同じように置き換える公式があり、それを用いて上記の式に当てはめることになりますが、その説明はここでは省略しますが、簡単に図解すると以下のようになります。

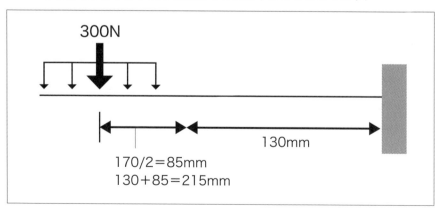

300N

130mm

170/2=85mm
130+85=215mm

この場合、応力値の計算は以下のとおりでしたね（77ページ参照）。

$$\sigma = \frac{My}{I}$$

　最大の応力値は、この場合付け根、上の面になりますね。ということで、以下のように計算することができます。

$$\sigma = \frac{My}{I} = \frac{300N \cdot 215mm \cdot 15mm}{\dfrac{30mm \cdot (30mm)^3}{12}} = \frac{967,500N \cdot mm^2 \cdot 12}{810,000mm^4} = 14.33N/mm^2 = 14.33MPa$$

　さて、木材の物性なのですが、硬い木なのか比較的柔らかい木なのかによっても、物性がかなり違いますし、さらに金属やプラスチックなどと違って、木目の方向とそれに直交する方向とで物性が異なるなど、直交異方性と呼ばれる物性を持っていて扱いがちょっと難しいのですが、ここでは金属と同じようにすべての方向で同じ物性と考えてみます。なお、すべての方向に同じ物性を持つ材料は等方性の材料といいます。

　スギのような木材を想定して、ここでは以下のように物性を考えました。

ヤング率（E）：　8,000 MPa

ポアソン比：　0.3

曲げ強度：　70 MPa

　今回の手計算での応力は、14.33 MPaですから曲げ強度の観点からは、問題がなさそうです。

せっかくなので構造解析ソフトでも計算してみました。

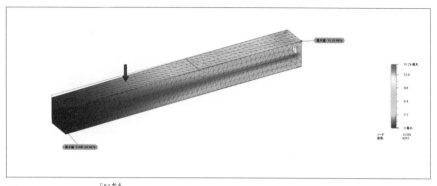

　約 15.29MPa と若干高めに計算されてはいますが、いずれにしても問題がない
ようです。ただ、実際のイスは横にもひねられるように荷重がかかりますので、
ここはイスの座面の構造を用いてそのまま計算してみようと思います。

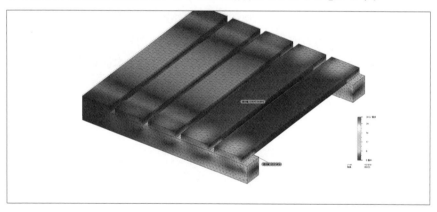

　最大の応力が、木材どうしが接触している部分に出ていますが、それでも
28.37MPa と、いずれにしても壊れるような応力にはなっていません。変位は、
前方の板中央部分で 2.5mm 程度なので実用上十分で、中学の技術の授業で作る

142

にはまあ十分といえるでしょう。つまり、普通に使う分には特に問題がないということです。

勢いよく座ると壊れるのはなぜ？

でも、その何の問題もないはずのイスが、なぜ勢いよく座ったら壊れてしまったのでしょうか？

そこには、まさに物体が「早く動いている」というところに問題があります。すでに人がイスに座っている状態でイスにかかっている荷重は、座っている人の体重のみです。また、腰をかけようとしている場合でも、普通イスには非常にゆっくりと腰をかけますから、やはり人が腰を下ろす時の速度などは、ほぼ無視できる状態と考えてよいでしょう。

ところが、人が勢いよく座る、例えば、一旦軽くジャンプしてから、座面から高さ30cmのところから落下するように座ったとしましょう。そうすると、ちょっと状況が変わってきます。その状況をちょっと考えてみましょう。

ところで、この後に示しているコンピューターでの構造解析もあまり厳密なものではないことをご了承ください。本当の意味で衝撃を扱うには、「動解析」というものを行う必要があります。ここでは、ものごとを簡単にするため静的な状態での力の釣り合いを解いています。しかし、衝突のような短時間で起きる現象を捉えるためには「動解析」を行う必要があります。動解析では例えば何も荷重が加わっていない初期の状態から急激に変化する応力の伝播（伝わり広がっていくこと）を捉えて衝撃に対する応答を求めていきますが、この際に物体の剛性だけでなく減衰（110ページ参照）や慣性力を含む運動方程式を解く必要があります。ただ、この Part ではあくまでも計算される衝撃力を静的な荷重に置き換えて考えていますので、厳密なものではないことをご了承ください。自動車の衝突

における解析などは、まさにこの動解析をしない意味のある答えが求まりません。

　何かものが30cmほど落下した時の落下時間と速度は以下のように計算できます。

$$\Delta t = \sqrt{\frac{2h}{g}} = \sqrt{\frac{2 \cdot 0.3m}{9.8m/s^2}} = \sqrt{\frac{0.6m}{9.8m/s^2}} \approx 0.25s$$

$$v = \sqrt{2gh} = \sqrt{2 \cdot 9.8m/s^2 \cdot 0.3m} = \sqrt{5.88m^2/s^2} \approx 2.42m/s$$

　さて、でも欲しいのは、このような速度で物体が落下した時に、どの程度の衝撃がイスの座面に加わるかですよね。そこで、もう少し計算を続けてみましょう。

　実のところ、非常に大きな速度の物体が別の物体にぶつかったからといって、そこですぐに大きな被害が出ると決まったわけではありません。例えば、水車の羽のようにくるくる回る羽の部分に何かがぶつかったとします。ぶつかった瞬間に水車がくるくると勢いよく回るのであれば、ぶつかったものが止まることはありませんが、逆に羽が壊れることもありません。

　実はどのくらい衝撃が加わるのかは、どの程度短時間で、あるいはどの程度短い距離でその物体を元の速度からゼロにまで落とすのかということです。

　それを少しばかり計算してみましょう。ここでは、衝撃によって発生する力をFとします。どのくらいでとまるのかという制動距離ですが、ここでは多少の木のたわみ等を考慮して5mm（0.005m）と仮定します。

$$F = \frac{mv}{\Delta t} = \frac{mv^2}{u} = \frac{60kg \cdot (2.4m/s)^2}{0.005m} = 69120N$$

すごい荷重ですね。ようするに私達の馴染みのキロなどの単位でいうと約7ト
ンの重量を支えなければいけないということになっちゃいますね。さきほどの曲
げ応力を計算した式に入れると、約3,344MPaというものすごい応力が出てき
ます。これはさすがに論外ですね。実際には、ジャンプしたわけでなく、もう少
し勢いよく座った程度の話でしたが、それでも手計算によれば、大体元々の体重
の5倍くらいの荷重がかかったら、このイスは破損しそうです。

　大した速度が出ていない思っていても案外勢いはついているものです。例えば、
手をぶらぶらと振り回していたら、予期しないところに壁があって勢いよくぶつ
けた、あるいは、それこそ、そんなに勢いよくでもないのに、足の指をテーブル
の脚などにしたたかにぶつけた時、飛び上がるほど痛い経験をしたことは誰にも
あると思います。子どもが遊びで座面を壊してしまうことなど、特に作りがそれ
ほど頑丈でない場合には案外あることなのかもしれませんね。

　ちなみにソフトで計算をさせた結果はこのようになりました。

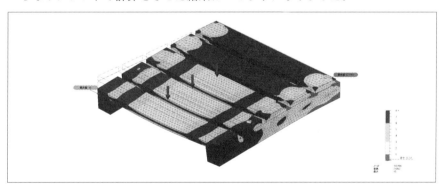

　表示の濃い部分が壊れる限界以上の応力がかかっているところです。

　……ということで、なぜものが壊れないかの本なのに、このPartでは壊れた
ことばかり話をしてしまいましたが、ものを作るときには、厳しい条件を考えな
いと案外壊れてしまうというお話でした。

Part15 さきイカの袋の切れ目の話

ここまで基本的には、「いかにその構造物を強くするか」という観点でお話をしてきました。ここで、箸休めではないですが、「いかに弱くするか」という観点の話をしてみようと思います。

ケイくんのお隣さんのマサヤくんと妹のユリちゃん。
なんでも知りたがる妹にいつもお兄ちゃんはタジタジ。

146

世の中では多くの場合「壊れては困る」ので、いかに簡単に壊れないかという設計がされています。でも、世の中には頑丈過ぎては困るというものもあるのです。例えば、厚手のビニール製の材料でシュリンクラップされた食べ物とか、あるいはやはり厚手のビニール製の袋に入っているお菓子を考えてみましょう。これらの袋は輸送中や店頭に並んでいる時に破れては困るので、それなりに頑丈である必要があります。ところが、いざ食べる時になったら、手で簡単に袋を破ける必要があります。破れなかったらいつまでも食べられませんよね。一体どうしたらよいのでしょうか。

 ## 応力集中の話

　実のところ、どのような物体にも、往々にしてウィークポイントのような場所が存在しています。その物体全体としては強い構造だけれど、どこか特定の場所を攻撃するとあっけなく壊れてしまうような場所です。多くの構造体では、できる限りそのような場所がないようにしますが、場合によっては意図的にそのような場所を作ることがあります。通常は壊れたり破れたりしては困るのですが、特定の条件下においては、あっさりと壊れてくれなくては困るという用途を持つものです。

　そのような用途のものは案外身近に存在します。一例としては包装用のパッケージなどが挙げられます。パッケージには、単に中身をくるむという役割だけではなくて、中身をしっかりとガードする役割を持つ場合も少なくありません。

　ということで、先ほどちらっと例示したスナックなどのパッケージを考えてみましょう。ピーナッツや柿の種とか、チーズに、サラミなどコンビニとか駅の売店でも変える食品類のパッケージなどです。

新幹線とか長距離の列車が発車してしばらくして、一息ついたところでスナックを食べようとする時にあなたはどうするでしょうか？　多分、袋の端を両手で握り、右手は手前へ、左手は押し出すように動かして袋の端をちぎるように割いて中身を出すのではないでしょうか。

　その時にちぎろうとする場所はどこでも良い、というわけではないことを皆さんは経験的にご存知ではないでしょうか？　とりあえず、どこから切ろうかと考えた時、小さな三角形の切れ込みを探すのではないでしょうか？　その切れ込みを無視して引きちぎろうとしても、なかなかうまくいきません。

　だいたい、このようなパッケージは頑丈です。なにしろ輸送中に袋が破れて中身が散らかってしまっては一大事ですから。単に端っこをねじってみても、引きちぎろうとしてもびくともしませんし、たとえ運が良かったとしても力で引張られて伸びることはあっても、意図したようにちぎれることはほぼ無いと言ってよいでしょう。

　この時に袋には何が起きているのでしょうか。

　ビニール製のパッケージの物性を挙動から考えてみましょう。パッケージも手で（というか指で）力をかけられると同時に変形を始めます。ある一定以上の力が加わると、永久変形も始めます。応力ひずみ線図で言えば降伏応力（66ページ参照）を超えた状態で、でも破断はしていないという塑性の状態ですね。そのままもっと大きな力を加えれば多分破断するのですが、怪力を持つ人でなくては、どうにもうまく引きちぎれずに力尽きて、もし自宅であればハサミを持ってきて袋を切る、ということになるのではないかと思います。

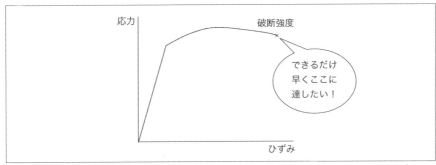

応力ひずみ線図

　でも、袋をよく確認して三角形の切れ込みがある部分を中心にして両手で持ち、前後に引きちぎったらどうでしょうか。今度はきちんと切れ目が入ると思います。少しでも切れ目が入ればあとは、そのまま切断していくことができます。

 ## 応力集中を起こす条件

　ではなぜ、こんなことが可能なのでしょうか。

　まず、袋の破り方を考えた時に、よほど自分が怪力と自覚していない限り袋の両端を持って左右方向に引張る人はいないでしょう。かなり弱い袋で無いかぎり袋はちぎれません。実は袋に限らず、引張りの応力でものを破断させるのはよほど弱い材料で無い限り難しいのです。

　一般にものを破壊するのではあれば、曲げたり、ハサミで切ったりするようなせん断のちからで切り裂いたほうが、より弱い力で破断させるような応力を発生させることが可能です。なので、経験的にほとんどの人は袋を無理に引っ張って破ろうとせずに、手で紙を破るように袋をちぎってあけようとすると思います。

　でも、そのように比較的簡単な方法で袋をちぎろうとしても、なんの切れ込みを入っていないとなかなか破ることができません。逆に切れ込みが入っていると比較的簡単です。

これは、実は「応力集中」というものを利用しています。

応力集中とは、その名のとおり、その物体の一部の領域に高い応力が集中してしまうことを言います。一様な断面の真っ直ぐな棒を断面と直角の（つまり軸方向に）引張る力をかければ、その物体のどの場所でも応力は同じです。ところが実際の物体はそんな簡単な形をしていません。しかも力も、色々な場所に色々な方向からかかっていることがほとんどです。そのような条件では、物体の中に応力が低いあるいはほとんどかかっていない場所もあれば、応力が特に集中しているところがあるのが普通です。

そして、意図しない物体の破壊がおこる場合には、その応力集中が起きているところが壊れ、それをきっかけにして破断などが進展するなど、破壊がその構造物全体に進展していくことも珍しいことではありません。

で、我らがパッケージの袋の場合には、袋の端に意図的に応力集中を起こす意図で切れ込みを入れるのです。応力集中が起きる条件はさまざまですが、応力集中が起きる典型的な形状があります。それが、「鋭角な角」です。L字型の構造物の内側の角に高い応力が発生しがちです。袋の三角形の切れ込みはまさにこのような条件を利用して応力集中を起こします。

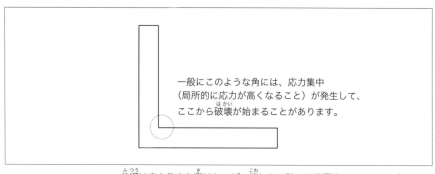

一般にこのような角には、応力集中
（局所的に応力が高くなること）が発生して、
ここから破壊が始まることがあります。

普通は応力集中を避けたいが、壊したい時には意図的にこのような角を作る

切れ込みがない状態で、手で袋を破ろうとしてもそのパッケージのビニールに破断を起こすことができるほどの応力集中を起こすことができないのです。袋に切れ込みを入れることで手の力でも破断をさせるだけの応力にまで高めることができるのです。

　ところで、ハサミで切る場合には切れ込みは一般には必要がありません。それはハサミを使用する場合には、道具によって、極めて狭い領域に力を集中させることで、局所的に大きなせん断応力を作ることができるから、と言えます。実は、応力を集中させるためには、切断される袋のほうに細工をする代わりに、力をかける方に細工をすることもできます。そのためのポイントは同じ力の大きさでも極めて狭い領域に力を集中させるということです。ハサミもそうですし、例えば、ハサミがない場合でも、何か鋭く尖ったものを袋に突き刺して穴をあけ、そこに空いた穴をきっかけに破っていくことも可能ですね。あなたが、指をスナックの袋にいくらつきたてたところで袋は破れませんが、同じ指の力でもキリを突き刺したらどうでしょうか。同じ力でも作用する断面積が小さくなることで、局所的に発生する応力は非常に大きなものになり、局所的にその部分が変形したり破断させたりできるのです。

　局所的なものなので、物体の大きさ等色々な要因ですぐに構造物全体が破壊されるとは限りませんが、その小さなダメージが長い目で見て大きな破壊のきっかけになることがあります。なので、通常の構造物にこんなことがあっては困るのですが、スナックの袋はまさにこのきっかけが欲しかったわけです。

　最後にシミュレーションで以下のように切れ込みがあるものと無いものをちょうど袋を引きちぎるような力を加えて応力を比較してみようと思います。

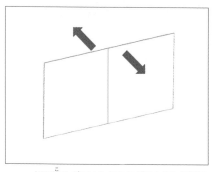
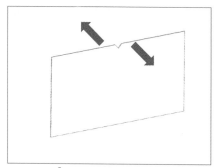

切れ込みがないものをちぎるように引張る　　切れ込みがあるものをちぎるように引張る

　シミュレーションで見てわかるように、左側の切れ込みがない場合には、中央部分に応力が高い部分は現れているものの、比較的応力が広い部分に分布しています。

　しかし、切れ込みがある場合には、その付近に絶対値としても高い応力が集中していることがわかります。つまり、切れ込みを入れることによって、材料を破断させるために十分高い応力を、同じ力で発生させられるようになることがわかります。

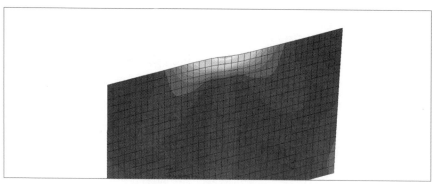

中央部に高い応力が発生はしているものの、一点に高い応力は出ていない

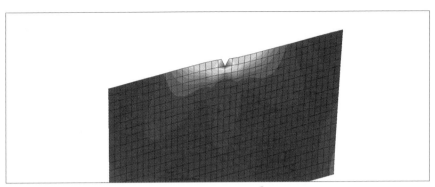

切れ込みの中心により高い応力が集中している

手刀と包丁の違いについての話

私たちの日常に欠かせない料理につきものなのが包丁です。肉も野菜も包丁で切りますが、この時に手刀で切る人はいませんね。でも、人の手でかける力はだいたい同じなのになんで包丁では切れて手刀ではだめなのでしょう。

余談ですが、あなたの足の指の上で、女性が裸足（はだし）でジャンプしても痛いのは痛いでしょうが、それほどのダメージにはならないでしょう。でも、同じことをピンヒールやったらどうでしょうか？　死ぬほど痛いというか下手をすると足の指が骨折するダメージを負うかもしれません。これも女性の体重がピンヒールの底という小さな断面に集中したことによって発生した高い応力の効能（？）です。

　つまり、これらも応力集中というわけですね。というわけで応力集中は、破壊（はかい）される側の形状をいじることによって起こすことができるだけでなく、非常に小さな断面に力を集中させることによっても可能というわけです。

■ 手刀と包丁の応力の違い

　さて、一般的（いっぱんてき）に手で何かを切ろうとする時には何キロくらいの力が必要でしょうか。空手で瓦（かわら）を割るように思いっきり正拳（せいけん）とか手刀でやれば、素手（すで）でも大根を真っ二つにはできそうですが、おそらく半分になる代わりに手や拳があたった場所が砕（くだ）けてしまうでしょうから、料理を考えるとあまりよろしくありません。さらに、具材によっては正拳や手刀あまり効かないかもしれません。例えば、大根と一緒（いっしょ）におでんを食べようとタコを切ろうとした時、手刀ではおそらくタコはグニャっと変形はすると思いますが、切れずに終わってしまいそうです。

　なので、ここではパンチやチョップはせずに普通（ふつう）に料理で包丁を扱（あつか）うように押（お）し付けるように使おうと思います。

　ちなみに、一般（いっぱん）に成人男性がパンチをした時の打撃力（だげきりょく）の平均は 75 キロくらいのようです。じわじわと押（お）し付けた時の力はここでは仮に 10 キロとしたいと思います。

　では、この手刀を使って大根に押（お）し付けてみたいと思います。大根の直径は比較的（ひかくてき）太いもので 8 センチ程度とします。ただし、丸いので手刀があたっている面積はそれほど大きくはないでしょう。そこで、手刀の幅（はば）を 20 ミリ（これは

筆者の手をノギスではかりました）、長さを 30 ミリとします。つまり、面積としては、600mm² になりますね。ここで、荷重は 10 キロですから、ざっくりと 100N にしたいと思います。

　ということでこの面積にかかる圧力を計算しましょう。

　この断面積に垂直に荷重が押し付けられるとして、ここにかかる圧力は荷重を面積で割ればよいので、以下のように単純に計算ができますね。

$$P \; = \; \frac{F}{A} \; = \; \frac{100N}{600mm^2} \; = \; 0.167 \; \frac{N}{mm^2} \; = \; 0.167MPa$$

では、包丁の場合はどうでしょうか？

　包丁もちゃんと切れない包丁と切れる包丁ではだいぶ違います。あまり切れない包丁の場合、人参や大根などの比較的に剛性のありそうな材料の場合、硬いものの大きな変形をすることなくざっくりと切れますが、トマトのような材料の場合、切れの悪い包丁だと先端を突き刺さない限りなかなか切れません。

　その一方きちんと研いであるよく切れる包丁はトマトも表面の皮に弾かれることなく、きれいに薄く切ることができますし、人参や大根のような硬いものも、より軽く切ることができるのです。ということで、ここでも刃が当たる部分の応力を計算してみましょう。ちなみに、刃物が当たる長さは手刀と同じ 30mm とします。変わってくるのが厚みですね。厚みも実はよく研いでいるかいないかでだいぶ違います。

研いでいない切れの悪い刃：30 ミクロン＝0.03mm
研いでいるよく切れる刃　：1 ミクロン＝0.001mm

これらの値については実際にはばらつきがあると思いますが、あるマイクロスコープで測った値を参考にしています。

　ということで、まずよく切れない刃(は)の場合の応力は以下のとおりです。

$$P = \frac{F}{A} = \frac{100N}{30mm \times 0.03mm} = \frac{100N}{0.9mm^2} = 111.1MPa$$

次によく切れる包丁は以下のとおりです。

$$P = \frac{F}{A} = \frac{100N}{30mm \times 0.001mm} = \frac{100N}{0.33mm^2} = 3333MPa$$

かなり大きな値ですね。

　ここでわかったのは、同じ荷重をかけているのに、切れる包丁のほうが手刀よりもなんと2万倍近くも応力が大きいのです。いかに、力を小さな面積に集中させるのかが大事ということですね。

　ちなみに切れの悪い包丁で切ろうとしても切れない場合、尖(とが)った先端(せんたん)を突(つ)き刺(さ)せば、まず穴を開けてそこから切るということができます。これも刃先(はさき)は薄(うす)くないものの、先端(せんたん)の断面積は非常に小さいので結果的に荷重を一箇所(かしょ)に集中できることによります。

　ちなみに、このような場合の応力はどうなるのでしょうか？　手刀と包丁を想定したケースで考えてみたいと思います。

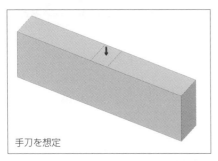

手刀を想定

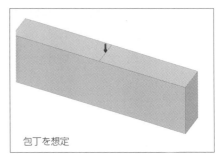

包丁を想定

わかりやすいように側面から確認してみます。

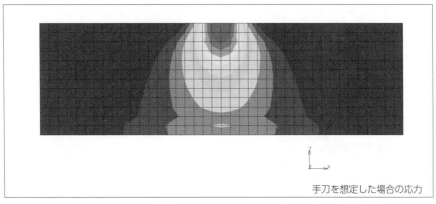

手刀を想定した場合の応力

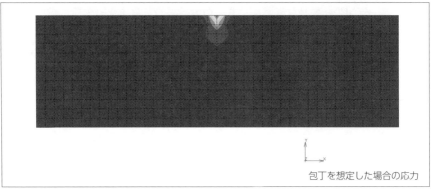

包丁を想定した場合の応力

手刀を想定したケースでは発生している最大の応力が、0.1563MPa で、その範囲も比較的広いことがわかります。

　包丁を想定したほうでは、1.652MPa と 10 倍の応力が発生しています。さらにその応力も極めて狭い領域に集中していることがわかります。つまり、力をできるだけ小さな領域に集中させることは意味があることがわかります。

　もっとも、思ったよりも小さな応力かもしれません。実際には押し付ける力だけでは、切るのは難しそうですね。

　実際のところ、包丁で切る時には、上から押し付けながらも押したり引いたりという動作をすると思います。詳しい説明は省きますが、この際に切られる側の材料の分子の結合が引きちぎられるので、手のような比較的弱い力であっても容易に切ることができるのです。つまり、実際に何かを切る時にはせん断や摩擦熱などがかかわってきているのですが、ここでは力を集中させる、ということにフォーカスしていったんここで話を止めたいと思います。

　ただ、冒頭に出したピンヒールっぽい話でまとめたいと思います。この 100N を想定した荷重をもっと集中させてみたいと思います。その結果がこちらです。

　より狭い面積の範囲内に荷重を集中させましたが、この場合、応力はさらに高まって約 12.5MPa にまであがっています。もう少し荷重を高めて少しやわかめの材料なら十分に穴くらいはあけられそうです。

キリのように狭いエリアに集中させることを想定

　なぜ、ピンヒールが絶大な効果を発揮するのがわかりますね。

強化ガラスの強さの秘密や
ルパートの滴が弾丸を弾き返す話

Part17

「ルパートの滴」というものをご存知でしょうか。ガラスでできた滴で、尾っぽが垂れ下がったおたまじゃくしのような滴の形をしています。ところが、その強さたるや凄まじく、滴の正面からピストルの弾丸があたっても砕けるこのとのない強さを誇っています。

今日はアメリカに来ています。こちらの知り合いの協力を得て、ルパートの滴に拳銃を撃ってみようと思います。John、お願いね！

1

OK

2

3

OH! Cool! OH MY GOD!

4

ケイくんのお友だちのジュンくん。
お父さんと一緒によくアメリカへ行くから、英語もペラペラ。

強化ガラスの強さの理由

　普通のガラスの板に弾丸があたったら余裕で貫通してしまいます。別に弾丸でなくても、高速道路で走行中に運悪く小石が跳ねてフロントガラスにあたると、多分クモの巣状にひび割れが発生してしまいます。私たちの印象としては、ガラスは何か硬いものがぶつかってきたら割れてしまう、という印象です。

　ところが、その印象に反してピストルの弾丸を弾き飛ばして、自分は無傷のガラスが存在します。それが、ルパートの滴（あるいはオランダの涙）なのです。このルパートの滴は、何か特別なことをしないと作れないというわけではありません。17世紀には、すでにその存在が知られていました。ルパートの滴という名前は、1661年にイギリスで行われた実験に立ち会った、カンバーランド公ルパートというイギリスの貴族の名前にちなんでいます。

　ルパートの滴は、基本的には単純で溶けた状態のガラスを冷水に落とすことで作ることができます。この時に、水中に落ちたガラスの形がオタマジャクシのような形になるのです。

　実はこの時の冷却のプロセスによって面白いことが起きるのです。溶けたガラスを冷たい水の中に落とすとどうなるか、なんとなく想像がつくかもしれませんが、ガラスは一様に冷えるわけではありません。まず、水に触れている外側が一気に冷えて固化します。しかし、冷却の初期の段階では、ガラスの内側はまだ熱い流動性のある状態です。

　しかし、時間がたつにつれてガラスの内部も徐々に冷えていきます。この時、最初に固化したガラスの外側の部分には非常に強い圧縮の応力が発生します。その一方でガラスの中心部分には強い引張りの応力が発生するという状況になります。ルパートの滴全体としては力のバランスが取れているという状態になるのです。

さて、これがなんで強さを生むのでしょうか。

それについては、もう少し別のお話をしましょう。ルパートの滴を私たちが日常的に目にすることはありませんが、実は同じ原理を用いたものが私たちの身の回りにはあります。それが「強化ガラス」です。

強化ガラスなら馴染みがあるよ、という人は多いと思います。もっとも馴染みのある使い方は自動車のフロントガラスでしょう（ただし、自動車のフロントガラスの場合、強化ガラスだけでなく樹脂と複数の板ガラスを使った合わせガラスとしてさらに強度と安全性を高めています）。

通常のガラスは透明で剛性も大きくて非常に便利なものですが、誰もがよく知っているような脆性材（67ページ参照）の代表格のような材料で、強い衝撃で簡単に割れてしまいます。手が滑ってコップを割ってしまった経験がない人はほとんどいないと思います。さらに、割れた後の破片は尖っていて大変に危険です。

そのような私たちの日常にはマイナスの特徴を消す努力をしたものが強化ガラスです。強化ガラスは、普通のガラスよりも破壊に至る荷重が大きいので、より割れにくいという特徴があります。さらに、普通のガラスと違うのが、限界を越えて割れる時に、尖った大きな破片にならずに、粉々に砕け散るため、万が一事故などで割れた際にも普通のガラスよりも怪我をしにくいということです。

実はこの強化ガラスの作り方にはルパートの滴の作り方と共通するところがあるのです。ルパートの滴では、溶けたガラスを水の中に落とすことで急速冷却をしましたが、強化ガラスの場合には、板ガラスを700℃前後に熱した後に、空気などで急速に冷やします。この場合もやはり表面の温度が急速に下がることで、表面から肉厚1/6程度の範囲に圧縮の応力層が発生し、逆に中央部分には引張りの応力が発生することになるのです。つまり、基本的な構造はルパートの滴と同じと言ってよいでしょう。

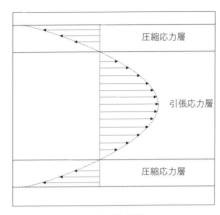

強化ガラスを作る過程（急速冷却中）
急速冷却中は外側が急に冷やされて縮もうとして
引張応力が発生する一方、内側はまだ熱く膨張し
ようするため圧縮応力が発生。

強化ガラスを作る過程（完成時）
最終的には、内側も冷えるが、外側が先に冷却し
ているため内側に引張応力が、外側に圧縮応力が
発生して、両者のバランスが釣り合う。

　なぜ、強化ガラスにすると強いのかということですが、基本的な考え方はこうです。ガラスは圧縮の力には比較的強い一方、引張りの力には弱いという傾向があります。ガラスに何かがあたった場合、その力に応じてガラスの板はたわみますが、物体が衝突した側には圧縮の力が、反対側には引張りの力が発生します。ガラスは基本的には、この引張りの応力によって破壊されてしまうのですが、強化ガラスの場合には、あらかじめ表面に圧縮のちからが働いていることによって、普通の板ガラスよりも強い力が働いても、割れにくいというわけです。

　何もない状態の時には、まさに圧縮の層と引張りの層がバランスをとって、板ガラスという形状を成立させているわけで、このバランスが壊れた瞬間に、強化ガラスの板ガラスは一瞬にして粉々に砕け散ります。

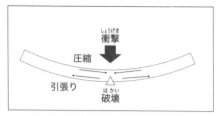

ガラスが割れるわけ。
衝撃と反対側に生じた引張応力で破壊される

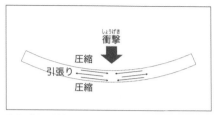

強化ガラスが割れにくい理由。
衝撃と反対側の圧縮応力で通常よりも割れにくい

　ルパートの滴の場合には、この応力がもっと極端です。強化ガラスを作る場合、板そのものは溶けていませんが、ルパートの滴の場合には、熱膨張係数※が大きなガラスを溶けた状態からほぼ瞬時に固化させるため、強化ガラスよりも非常に大きな圧縮の応力が発生します。400年前から知られてきたルパートの滴のしくみ自体は知られていたことですが、最近の米パデュー大学の研究によれば、ルパートの滴の頭部の直径10mm前後の範囲内では、なんと外側には約700MPaもの圧縮応力が働いていて、また内側からはそれに拮抗する引張りの応力が働いているという、従来考えられていたよりも高い応力が働いていたことがわかりました。このような高い応力のため、ハンマーで叩いてもびくともしないどころか、場合によっては弾丸を砕いてしまうほどの硬さが発生していたわけです。

　しかし、ルパートの滴も強化ガラスと同様に、圧縮と引張りの釣り合いの上になりたっているため、バランスが崩れれば一瞬にしてバラバラになります。動画などでルパートの滴のしっぽを切ったときの状況を見ることができますが、頭部をいくらハンマーで叩いてもびくともしない滴が、しっぽを切った瞬間に、滴全体が破片というよりは、むしろガラスの粒という細かさでバラバラになってしまいます。この時の破壊の伝搬の速度は音速を超えています。いかに強い応力がこの構造を支えていたかということがわかります。

　これも、物体の内部に発生した応力が、いかに最終的な構造の強度に大きな影

※熱膨張係数：温度を1℃上げたときに物質がどのくらい大きくなるかを表したもの。線膨張係数とも言う。

響を与えたのかを考える好例です。

　強化ガラスはすでにこのしくみの応用例と言えますが、強度がルパートの滴までではいかなくても、さらに強化できれば、本当に割れないスマホやタブレットのスクリーンを作ることができるかもしれませんね。

　なお、最近私たちがよく手にするスマホ用のガラスの中には、化学的な方法で圧縮層を作っているものもあるようです。

　最後に先ほど示した強化ガラスと普通のガラスに荷重をかけた時の様子を、実際に壊してやるわけにはいかないのでシミュレーションの結果でみて見たいと思います。最初に圧縮層がある場合を試してみたいと思います（左下図）。

　薄く大きな板の断面の中央部分を切り取った画像ですが、上下の黒い部分が圧縮層で中央の色の薄い部分が引張層になっています。このシミュレーションでは下から荷重をかけます。これに荷重をかけると以下のようになっています（中央図）。

　下の2本線が元の位置ですが、微妙に上に向かって反っています。上部は本来引張の応力が発生しますが、圧縮のままになっています。

　次に引張りも圧縮もない無応力の状態を初期状態にして同じ荷重をかけた結果を見てみたいと思います（右下図）。

　こちらのケースでは変位量もより大きく応力分布が異なっています。普通の板の曲げ同様に沿っている外側が引張りから内側の圧縮という分布になっています。外側から破壊がはじまりやすくなることが予想されます。

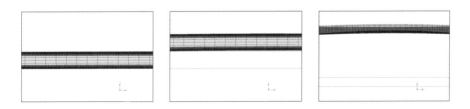

Part18 ソフトな防弾チョッキが弾を防げる話

日本では、映画やテレビドラマくらいでしかほとんどの人には縁がない防弾チョッキですが、よく考えれば不思議ですね。銃の種類にもよりますが、高速で飛んでくる金属の弾から人の体をよく防御しますね。その不思議について考えてみたいと思います。

1
今度は防弾チョッキを着たマネキンに発砲してみようと思います

2
と言うことで早速撃ってみましょう

3
すげえ、穴が空いていない

4
でもなんだか痛いんじゃないかなぁ…

さまざまな種類がある防弾チョッキ

日本で生活している限りにおいては、銃に撃たれることはほとんどないのですが、それでも一般用ということで防弾チョッキは通販で買うことができるようです。一口に防弾チョッキとは言っても、通販で買うことができるような一般用のものから、軍事用のものまでその種類とスペックはさまざまです。日本で一般的に防弾チョッキと呼ばれるものは実際には弾丸だけでなくて、爆発による破片などから体を守る役割を追っているため「ボディーアーマー」とも呼ばれています。

アメリカでは、これらのボディーアーマーに対して NIJ 規格と呼ばれる規格があり、対応できる弾丸に応じてレベルが決まっています。

また、ボディーアーマーには、ソフトアーマーと呼ばれる柔らかいものとハードアーマーと呼ばれる重たいアーマープレートが使用されているハードタイプのものとに大別されます。

より衣服に近いソフトアーマータイプであれば、直径 9mm のピストルの弾丸を始めとする拳銃の弾丸をそのレベルに応じて止めることはできますが、ライフルでは撃ち抜かれてしまいます。ライフルなど、ソフトアーマーのみで対応できない場合には、例えばその後ろにセラミックの板を入れてさらに強化するなどの必要があるなど、お手軽さと対応できる火力の間には大きな関係があります。

また、防弾チョッキは、弾を絡め取るようにして止めるため、ピストルの弾から体を守ることはできても、ナイフやボウガンなどには対応できない場合があります。

ということで、ボディーアーマーには、さまざまなものがあるのですが、ここではソフトアーマーで対応できる拳銃の弾を止めることを念頭においたもので話を進めていきたいと思います。というのも、あんな柔らかい繊維でできたものがなんで拳銃の弾を止めることができるのか不思議ですものね。

意外にも防弾チョッキの材料は樹脂の繊維

　古来、銃を使う前から人々は戦において刀や槍、矢などを防ぐためにさまざまな防具を使ってきました。鎧などもいろいろなものがありましたが、最初のソフトアーマーではなんと絹でできたものもあったようです。しかし、マスケット銃（火縄銃もその一種）が登場すると、そのようなソフトアーマーは容易に貫通されて役に立たないものになりました。その後、現代に至るまでボディーアーマーは長い歴史をたどりますが、それはこの本の本来の目的ではないので省略して、一気に現在ポピュラーな材料に進みます。

　現在のソフトアーマーの材料としてポピュラーなものの一つが、一般的には「ケブラー」の名前で知られる繊維です。なお、ケブラーは正確にはデュポン社の商標で一般名称としてはアラミド繊維※ですが、ここでは馴染みのある「ケブラー」を使用します。

　ケブラー一本一本は石油から作られた樹脂の繊維ですが、これらの繊維をたくさん使って布のようにして使います。プラスチックの繊維というとどうにも頼りなさそうに思えますが、それがどうして、なんと同じ重さの鋼鉄と比べた時、5倍もの強度を持つと言われています。ということで、材料物性を確認してみましょう。

　ここでは、東レ・デュポン株式会社が公開している物性値を見てみます。ケブラーにも色々な種類があるのですが、ここでは高強度されている KevlarR129 を見てみます。それによると、密度は 1.44g/cm3、引張強度が 3,400MPa、引張弾性率（ヤング率）が、96,600MPa となっています。他にも材料物性が記されていますが、シミュレーションソフトなどで使用するの材料物性としては、これらで十分なのでこのまま考えてみます。

※アラミド繊維：ポリエステルやアクリルと並ぶ三大合成繊維であるナイロンの一種。強度・弾性率・耐熱性にすぐれている。

比較のために炭素鋼を確認してみましょう。密度が、7858kg/m³ なので、これは 7.86g/mm³ となり明らかに炭素鋼のほうが重たいですね。そして、炭素鋼の引張弾性率が 205,000MPa なので、剛性はだいたい倍くらいあります。つまり炭素鋼のほうが変形しにくいということですね。そして肝心の引張強度を見てみると炭素鋼の場合には、425MPa です。なんと、高強度のケブラーのほうが炭素鋼の 8 倍も強いことがわかります。

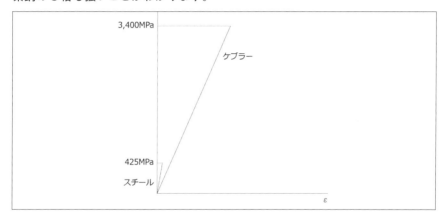

　思い出すと筆者は若い頃、スカイダイビングをやっていたのですが、そのパラシュートで使用されていたケーブルは記憶違いでなければケブラーであったように思います。ということで、ケブラーという材料が大変に強靭な材料であることはわかりました。このケブラーでできた布切れがどのようにして弾丸を防ぐのでしょうか。

　もちろん、ケブラーでできた布が一枚だけでは、弾丸の防御をするには心もとないのですが、実際にはこのケブラー製の布が何層にも渡って重ねれられて使われます。つまり、弾丸があたった際には、これらの積み重なった層が次々にエネルギーを吸収していく、ということになるのです。

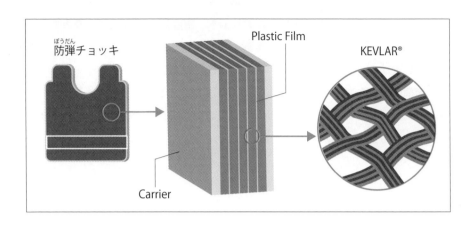

防弾^{ぼうだん}チョッキ

Plastic Film

KEVLAR®

Carrier

　簡単な例えを言えば、シュートされたサッカーのボールを受け止めるゴールの
ネットのようなものです。ゴールキーパーが止められなかったボールは、そのま
ま後ろに飛びますが、後ろ側のネットで止められ、それよりは後ろに行きません。
ネットはサッカーボールから受ける衝撃^{しょうげき}に対して十分に強いので破れることもあ
りませんね。ケブラーの布でできた防弾^{ぼうだん}チョッキとピストルの弾^{たま}の関係も似たよ
うな感じです。

　ピストルの弾^{たま}が飛んできた時に、ケブラーの布は弾^{たま}を受け止めますが、その時
当然ながら弾^{たま}の衝撃^{しょうげき}で布は変形します。ただし、それによって破れることはない
ので、弾丸体^{だんがん}を貫通^{かんつう}することはないというわけです。言ってみれば金属製かつ、
もっと高速で飛んでくるサッカーボールとそれを受け止める非常に強力なネット
というわけですね。またケブラーは高熱に耐^たえることもできるため、着弾^{ちゃくだん}時に発
生する高熱への対処もできます。まさしくスーパー素材ですね。

ケブラー等の繊維が弾丸のエネルギーを吸収して弾丸のほうがバラバラになる

でも、そこで疑問があります。確かに弾丸が体を撃ち抜くことはないので、それで命は助かりそうですが、非常に痛いんじゃないかということです。そうですね。弾丸を止めてはくれますが、高速で飛んでくる弾丸の衝撃そのものをソフトにするというわけではないので、弾丸があたった部分は鈍器で殴られたような内出血等のダメージが生じることは十分に考えられます。当たりどころが悪いと衝撃で骨折をしたり、内臓を損傷したりするなどが考えられますので、場合によっては弾丸に撃ち抜かれる以外の理由で死亡することがあるかもしれません。

それを防ぐには補強板等、さらに体に伝わる衝撃を和らげるものを別途用意する必要があるでしょう。

実際、防弾チョッキは単一の素材でできているのではなく、このような体へのダメージも少なくなるように、また着用時に肌に触れている面は着心地が良いように、ケブラーなどの高強度の繊維によって着弾のエネルギーを逃す層に加えて、体への衝撃や貫通を逃す層、さらに肌に触れる層という多層構造になっています。

とはいえ、そもそも弾丸に体を撃ち抜かれれば、それによるショックや失血死などはるかに大きなダメージがあります。そういう意味では、やはりケブラーという繊維の偉大さがわかると思います。

Part19 CFRP（カーボン）って どれくらい強いの？の話

さて、前の Part では「プラスチック」でできた繊維も束ねて布にすると、金属をもしのぐような強さを発揮することがわかりました。この Part は繊維つながりで、CFRP なるもの、世間的に言うとカーボンと略されて呼ばれるものの強さを探ってみたいと思います。

ねえ、アニキィ、カーボンってすごく強いんでしょう。なんだか鉄より強くて軽いとかってきいたよ

おいやめろ、そのカバン、３０万円するんだよ

大丈夫、大丈夫‼

貴様、どんな運命が待ち受けているのかわかってるんだろうな

リンちゃんのお隣のお兄ちゃんのアキラくんと、その先輩のミヤケさん。アキラくんはよくモノを壊すので有名。

軽くて強い CFRP とは？

CFRP とかカーボンとは何気に魅力を感じる人も多く、本物のカーボンではなくても、カーボン製のボディーを模した模様がその表面にある製品も珍しくはありません。また、イメージするものは F1 とか、航空機などスピード感のあるかっこよいものが多いですよね。ボーイング 787 をはじめとする最新鋭の旅客機にも使われるようになってきています。なぜかというと「軽くて強い」という特徴があるからです。では、その軽くて強い CFRP とはそもそもなんでしょうか？

CFRP は Carbon Fiber Reinforced Plastic の頭文字をとったもので、日本語でいうと「炭素繊維強化プラスチック」です。もっとわかりやすく言うと、プラスチックだけだと強度が今ひとつですが、炭素繊維という強力な繊維を使って補強したものですよ、ということです。つまり、プラスチックと炭素繊維という性質が違うものを組み合わせたら、軽くて使いやすいものができたということですね。

実はこのような異なる性質を組み合わせた構造物は他にも私たちの身近に存在します。例えば、鉄筋コンクリートなどです。コンクリートは圧縮には強い材料ですが、引張りには弱いという欠点があります。逆に鉄筋は引張りには強いですが、圧縮の場合には座屈※という大きな変形を起こしてしまいやすいのですが、この 2 つを組み合わせることで、さまざまな種類の荷重に耐えうる、建物などに適した素材になっています。まさに合せ技で優れたものになる典型ですが、同じことが CFRP についても言えるのです。

プラスチック自体は軽くて、さまざまな形状の筐体（機器類を収める箱）に成形工しやすく、さらに穴を開けたり削ったりという二次加工も容易です。ただし、強度という面では今一つです。剛性の面でも強度の面でも例えばアルミなどと比較しても見劣りしてしまいます。だから、プラスチック単体ではどうやっても、例えば、飛行機のボディーなどのような構造用の素材としては、使用するわけに

※座屈：構造物に力を加えると、あるとき急に大きく曲がること（197 ページ参照）。

はいきません。そこで、出てきた考え方が、ガラス繊維などを樹脂と合わせて使用することで、全体としての剛性を高めようという考え方です。繊維の混ぜ合わせ方ですが、短い繊維を樹脂に混ぜ合わせてしまう方法と、もう一つは長い繊維のまま方向性をもたせた布のような状態に樹脂を含浸※させるような方法があり、FRPと称される際には、後者のようなやり方になります。FRPに用いられる繊維はカーボンだけではなく、ガラス繊維を用いたGFRP、防弾チョッキのPartでも紹介したケブラーを使ったKFRPなどもあります。いずれにしても、このように通常のプラスチックだけでは実現できない軽さと強度の両立をFRPという形で実現できるのです。

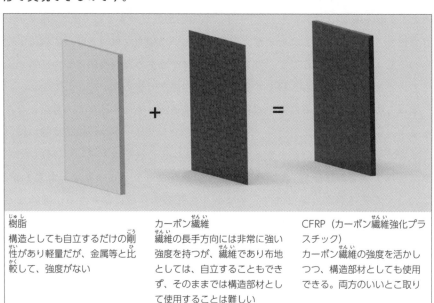

樹脂
構造としても自立するだけの剛性があり軽量だが、金属等と比較して、強度がない

カーボン繊維
繊維の長手方向には非常に強い強度を持つが、繊維であり布地としては、自立することもできず、そのままでは構造部材として使用することは難しい

CFRP（カーボン繊維強化プラスチック）
カーボン繊維の強度を活かしつつ、構造部材としても使用できる。両方のいいとこ取り

　さて、全体の構造がわかったところで、カーボンについてもう少しお話をしてみましょう。カーボンも私たちに身近な素材ですが、不思議な素材でもありま

　※含浸：布や紙・木材などに、薬品・樹脂や水などの液体をひたして含ませること。

す。一番硬い材料とされるダイヤモンドは炭素でできていますし、それとはまったく逆に鉛筆の芯の材料である黒鉛も炭素なのですが、ダイヤモンドと同じ材料なのかと思うくらいその硬さが異なります。焼き鳥で使用される備長炭ももちろんカーボンですね。我らがカーボン繊維も含めて、すべてカーボンの原子が元なのに、その性質はかなり異なります。この違いは基本的には結晶の構造によるものです。原子間の結合の話になると、またそれはそれで長くなるので、ここではその結合によって違いが出てくるとでもわかれば大丈夫です。

■ カーボン繊維の強さの秘密

　さて、そのカーボン繊維はどのくらいすごいのでしょうか？　カーボン繊維といっても、さまざまなものがあるので、その代表的なもので考えてみたいと思います。一般的な工業製品の材料の一つである鉄と比較してみましょう。まず、「軽い」という特徴から考えて、重さを考えてみます。重さについては比重で考えてみますが、カーボン繊維の場合、比重は 1.8 前後とされています。これはどういうことと言うと、鉄の場合の比重は 7.8、航空機に多用されているアルミの比重は 2.7 程度なので、鉄の 1/4、2/3 程度とこの段階で軽量であることがわかります。

　もっとも軽いだけではだめで強くないと仕方がないですね。ということで、ここで弾性率と引張強度を考えてみたいと思います。まず、剛性ですが、鉄や鉄をベースにした鋼は、ヤング率がだいたい 210GPa 前後です。アルミの場合には、70GPa です。これが、カーボン繊維だとどうかと言うと、幅があるのですが、だいたい 55GPa から 350GPa からそれ以上のものもあります。一番剛性のないものでも、アルミを少し下回るくらいですし、高い剛性のものであれば鉄を超えます。これに元々の比重を考えてみましょう。同じ重量であれば構造物全体としてはかなり剛性の高いものができることが想像できますね。

　さて、剛性が高いことはその材料が強いことをそのまま意味しません。最終的

に破断に至る引張強度も気にする必要があります。例えば鉄系の材料で言えば、S45C と呼ばれるものが700MPa、またアルミでも航空機などにも使用される高強度のアルミ合金 A2014-T4 が425MPa 程度です。これに対してカーボン繊維の場合には、これも幅があるのですが900MPa から、ものによっては3000MPa もの強度を持つものがあります。いかに高強度かということがわかります。

　引張強度を比重で割ったものを比強度と言いますが、今回使った数字で計算すると、鋼が700/7.8 で89.7、アルミが157、カーボン繊維が3000/1.8 で1667、低い方の900MPa の数字を使った場合でも500ですから、鋼の5.5倍から18.6倍という恐るべき比強度があるということになります。これだけで見るとまるで夢の材料ですね。でも、そこは色々と難しいところがあります。実はコストもかかりますし、みなさんが一般に考える強いCFRP（ドライカーボンと言います）に仕上がるまでには製造になかなかの手間がかかるのですが、今回その部分の話はあまり考えません。

　まず、カーボン繊維は繊維なので、強度には実は方向性があるのです（これを異方性といいます）。鉄やアルミなどはどの方向でも同じ剛性や強度があります（これを等方性といいます）。なので、実際に使う際には私たちが洋服で使う布ように繊維で布を作ります。さらにこの布を繊維の角度を変えて重ねると、積層した布全体としては、あらゆる平面方向に対して等方性の材料のように挙動します。

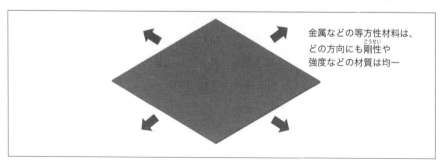

金属などの等方性材料は、どの方向にも剛性や強度などの材質は均一

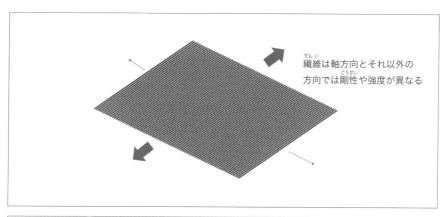

繊維(せんい)は軸方向とそれ以外の
方向では剛性(こうせい)や強度が異なる

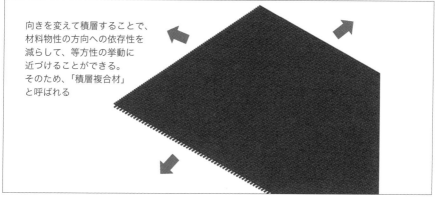

向きを変えて積層することで、
材料物性の方向への依存性を
減らして、等方性の挙動に
近づけることができる。
そのため、「積層複合材」
と呼ばれる

　お、でもこうすれば、カーボン繊維(せんい)だけでどうにかなりそうな気がしてきましたね。でも、そうは問屋がおろしません。というのもカーボンの繊維(せんい)一本一本が強かったとしても、この状態ではまだ所詮(しょせん)は布なのです。要するに自分を自立させることすらできません。ここでようやく樹脂(じゅし)が登場してくるわけです。ここでようやくプラスチックが登場してくるわけです。自分だけではポテンシャルを発揮しきれなかった布切れが、プラスチックと強固に結びつくことによってはじめ

て「CFRP」に生まれ変わり、強力な材料に変わるのです。

　ちなみに CFRP できた製品はカーボン繊維の布にエポキシ樹脂※などを含浸させた「プリプレグ」という材料を何層も積層させて使います。積層させたプリプレグを目的の形状の型に合わせた上で、オートクレーブと呼ばれる高温高圧の窯で処理することによって「カーボン製の製品」が誕生するわけです。

　さて、このように非常に強力になった CFRP ですが、すべてにおいて鉄をもしのぐのかというとそういうわけでもありません。CFRP はカーボン繊維で強化したプラスチックであることを忘れないでください。つまり、プラスチックの弱い部分が完全になくなったわけではないのです。CFRP は「複合材」なので、全体としてみれば一つの強力な材料ですが、個別の材料の特性もありますし、複合材ゆえの相互の関係もあります。CFRP では、カーボン繊維はファイバー、プラスチックは母材、あるいはマトリックス材と呼ばれます。非常に強力な衝撃が加わった時、母材に大きなダメージが加わることもありますし、あるいは接着していた母材と繊維との間で剥離というダメージが発生することもあります。CFRP は確かに強力な素材ではあるのですが、衝撃には案外弱いところがあるのです。もちろん母材としてのエポキシが砕けたとしても構造物としては完全に破壊されずにカーボン繊維が補強をしてくれますが、大きなダメージを受けることには代わりがありません。

　最後にシミュレーションソフトを使って CFRP とアルミの板の比較をしてみようと思います。スチールなどと比較すると軽量のアルミ合金は、航空機などにも多用されています。しかし、最新鋭の旅客機などでは CFRP などの複合材が使用されるようになっているとを聞きます。そこで、同じような条件を想定しての簡単なシミュレーションをしてみました。詳細な材料物性は省略しますが、複合材の繊維方向のヤング率は合金鋼などと同程度を想定した物性を定義し、繊維方向を０度、45度、－45度、90度と角度を変えた層を複数レイアップしています。

　　　※エポキシ樹脂：液体状の樹脂を加熱して硬化させた樹脂。耐水性、耐薬品性に優れ、電気絶縁
　　　　性も高い。

178

それに対してアルミは通常のアルミ合金の物性を定義し、肉厚は複合材と同じに
し、以下のようなかまぼこ型の形のスキンの上から球を押し付けてみて変位を確
認しました。

まず、複合材のケースで
は球が押し付けられた部分
が約0.24mm凹んでいます。

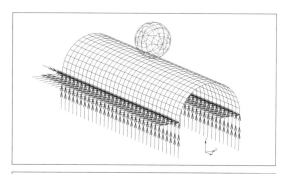

一方でアルミの場合に
は、変位量が 0.36mm に
なっています。いずれにし
ても微小ではありますが、
このケースでは複合材の変
位のほうが小さくなってい
ます。

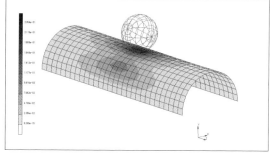

ここで重量を考えてみま
しょう。質量密度を比較す
るのが簡単ですが、アルミ
の質量密度は一般に 2.7g/
mm³ 程度なのに対して、
CFRP は 1.8g/mm³ です。
確かに重量と強度を考えれ
ば複合材の使用は理にかな
いますね。

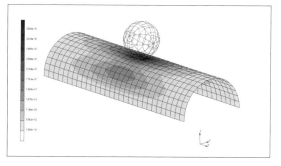

{ Part20 } # 自転車のスポークが 体重を支えられる話

自転車は私たちにとってもっとも身近な乗り物の一つですね。運転免許(めんきょ)はいらないので、子どもの時からみんなに馴染(なじ)みのある乗り物です。ところで、自転のスポークって針金みたいに細いのにどうして人の体重を支えられるのか、不思議に思いませんか?

車輪が重さを支えられるわけ

　あらためて自転車の車輪の構造を振り返ってみましょう。一番外側にはタイヤがあって、そのゴム製のタイヤがハマっている金属製のリムがあります。そこから車輪の中心にあるハブに向かって、ちょっと太めの針金のように細い「スポーク」が伸びていてリムとハブをつないでいます。

　ちなみに、最近はちょっと廃れた言葉かもしれませんが、航空会社の路線の作り方に「ハブ＆スポーク」というものがあります。比較的小さな地方の空港からの路線を「ハブ空港」と呼ばれる大都市の拠点空港に一挙に集めて、ハブ空港同士を大型機でつなぎ、その先の最終目的地の地方空港には、ハブからスポークで伸びている路線でつなぐという方式です。これはまさに自転車のハブとスポークをイメージしたものです。

　さて、少しばかり脱線しましたが、本来のハブ＆スポークに話を戻しましょう。あらためて考えると、いくら本数があるとは言っても、あんなに細いスポークが人の体重を支えられるのは不思議だとは思いませんか？

　ちなみにスポークの太さは、自転車によって種類はありますが、一般的に私たちがよく使用する自転車では、＃14と呼ばれる規格（太さを示す番号）の直径2mmの針金が、また、より体重が多くかかる後輪の場合には、＃13と呼ばれる直径2.34mmのスポークが多く用いられるようです。

　実のところハブ＆スポークには種類がありまして、自動車やオートバイなど比較的重量のあるもので使用されているものがソリッドスポーク、今回話題にしている自転車のスポークなどに使用されているものがワイヤースポークです。自動車やオートバイなどのスポークはかなりがっちりとした構造で、車体自体の重さと乗っている人、さらに荷物などのすべての荷重によって発生する圧縮荷重も受け止められそうです。

しかし、自転車のような針金のスポークの場合には実はしくみが違っています。実のところ金属でできた針金のようなものは「圧縮」の力には強くありません。例えば、あなたが針金をまっすぐに立てて、その針金を上から押したとしましょう。おそらく大した力をかけていないはずなのに、途中から腰砕けのように折れ曲がってしまうはずです。これが座屈（173ページ参照）と呼ばれる現象です。

　自転車の車輪で言えば、例えば体重70キロの男性が自転車にまたがったら、車輪の一つずつに35kg重の荷重がかかることになります。普通に考えたらこれでは体重を支えられそうにもありませんね。

　実は、自転車で使用しているワイヤースポークは、下側のスポークで重さを受けているわけではないのです。針金状のスポークは、圧縮や曲げの力に対しては脆弱ですが、引張りの力には耐えられます。つまり、ワイヤースポークの自転車の車輪は引張りの力、つまりテンションで支えているのです。そのため、引張りの力で支えるスポークという意味でテンションスポークという別名もあります。

　テンションだけであれば、例えば#14のスポーク一本でも、スポークが破断することは、計算上はありません。

　#14の長さ290mmのスポークに500N（約50kg）の荷重をかけた場合、シミュレーションするまでもなく断面積で割ってやれば、150MPaほどの引張応力になります。これ一本でも静かに荷重がかかっている限り破断はしなさそうですし、実際にはスポークはもっとたくさんあるわけで、荷重はもっと分散されます。また、タイヤのリムの部分もある程度変形しますから、実際にかかるテンションはもっと小さくなるはずなので、普通の乗り方をしている限り、スポークにはもっと余裕があるはずです。

ラジアル組みとタンジェント組み

　ちなみに、テンションスポークもさらに、ラジアル
組みとタンジェント組みという大きく2つの種類に
分けられます。タンジェントとは「接線」という意味
ですが、リムからハブの中央に向かって放射状にス
ポークが構成されているものがラジアル組み、リムか
ら伸びているスポークがハブで円周の接線方向に繋げ
られているのがタンジェント組みです。最初に実用化
されたのがラジアル組です。こちらのほうが構造もわ
かりやすくかつ、リムとハブを直線でつなぐため、重
量も最小にすることができます。ただし、加速時やブ
レーキをかけた時の減速時のトルク（38ページ参照）
によって、曲げ荷重もかかりスポークにかかる負担も
大きくなります。そのため、自転車でも後輪のような
動力軸にはあまり用いられません。

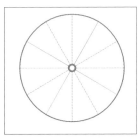
ラジアル組み

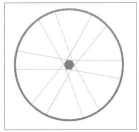
タンジェント組み

　タンジェント組みは、トルクの伝達に優れていますし、さらに荷重を分散させ
る性能にも優れています。そのため、現在使用されている自転車では、このタン
ジェント組みになっていることがほとんどと言っても言い過ぎではないでしょ
う。タンジェント組みにもさらにバリエーションがありますが、ここでは単純に
タンジェント組みと理解しておけばよいでしょう。

　ところで、タイヤのスポークが軸よりも下にきた時には、いくら上側のスポー
クがテンションで荷重を支えているとはいっても、やはり圧縮の力はかかるはず
です。でも、座屈はしないのでしょうか？

　実はスポークは、まったくユルユルのテンションがかかっていない状態で取り

付けられているわけではありません。スポークを取り付ける時点で、引張られることによってテンションがかかっています。つまり、実際に人が乗った時には、下側にきたスポークに圧縮の力がかかったとしても、すでにかかっていたテンションを吸収することになるので、圧縮の応力がかかって座屈することはありません。さらに、上側の引張り側のスポークも鋼の強度にもよりますが、元のテンションと体重等によるテンションが合算されても破断しないように調整されています。そういう意味では、破断しない程度にテンションは高ければ高いほうがよいのですが、高くしすぎるとそれはそれで問題があります。衝撃などで非常に高い引張りの力が急にかかると破断してしまうことが考えられますし、また、スポークをはめるリム側の穴が常時高いテンションにさらされることによって、穴の周囲に亀裂が生じてしまうことも考えられます。そのため、自転車のスポークのテンションは、そのようなバランスを考えて張られているのです。

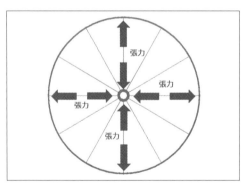

張力による引張応力で剛性が増加し、曲げに強くなる。

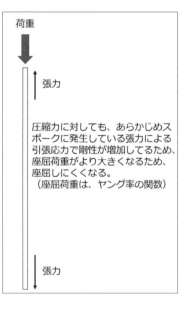

圧縮力に対しても、あらかじめスポークに発生している張力による引張応力で剛性が増加してるため、座屈荷重がより大きくなるため、座屈しにくくなる。
（座屈荷重は、ヤング率の関数）

184

最後にシミュレーションの結果を見てみます。上図のように車輪のハブの斜上方向から400N（体重80キロ程度の人の半分程度）の荷重をかける想定します）

斜め30度程度から
400 Nの荷重

この車輪にまったくテンションがかかっていないとすると、これらのスポークにかかる力の分布は中図のようになります（白が引張り、黒が圧縮）。下側のスポークには、最大で−95Nの圧縮の力がかかっています。ちなみに、計算上のこのスポークに81.5Nよりも大きな圧縮の力がかかると座屈という現象が起きて壊れてしまいます。

次に、あらかじめ、660N相当のテンションがかかるようにしてから、同じ荷重をかけてみたのが下図です。今度は、すべてのスポークが白い表示で引張りの状態のままです。最大のテンションは755Nですが、これを直径2mmの円の断面積で割ると240MPa程度になります。一般的なステンレス鋼でも破断する応力よりも低いので問題がないことがわかります。

また、実際の自転車の車輪のスポークは8本なんていうことはなく、36本等々もっと本数が多いので、問題にはならないはずです。

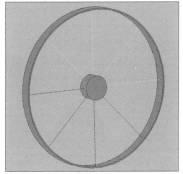

テンションがかかっていない場合

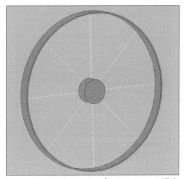

テンションがかかっている場合

卵が割れない低反発クッションの話

卵は割れやすいものの代名詞みたいなものですね。買い物でも注意を要するもので、うっかりして買い物帰りに割ってしまうこともあります。そんな卵ですが、ビルの上から落としても割れずに受け止める素材が世の中には存在しています。

卵というものはどうも不遇な目に合うことがあるようです。筆者は卵が大好きで目玉焼き、スクランブルエッグ、ゆで卵等々、卵を食べない日はほぼないのですが、その卵、ちょっとした実験の対象になってしまうことも度々あります。例えば、クッション性のあるケースに生卵を入れてビルの屋上から落としてどのケースだったら壊れないかという「エッグドロップ」の実験は、小学生もできる実験として YouTube などの動画などでも公開されています。また、非常にクッション性の高い材料の上に落として、卵は割れませんよ、というようなそのクッションの性能の素晴らしさを証明するようなコマーシャルに登場することもあります。

どのようなやり方であったとしても、卵の殻に対して割れる程度の衝撃が加わらなければ卵は割れません。そのためケースの場合だと、内部にクッションをつめたり、あるいはパラシュートのように空気抵抗を使って減速したりするなどのさまざまな工夫をすることができ、条件がたくさん考えられます。ということで、この Part では、生身の生卵を落としても割れないクッション性のある材料を考えてみたいと思います。

粘弾性材料の不思議

ゲル状※のマットの上に卵を落としても割れていません、という動画を見る際に気がつくことがあると思います。そのマットの種類にもよりますが、卵はマット上に落下した瞬間に、ほとんどバウンドすることなく、ピタッと張り付くように止まってしまいます。また、私たちがキッチンなどで使うスポンジなどと違って、卵の形に変形したまま、その形をキープしています。そう言えば、このようなクッション他にも見たことはないでしょうか。似たようなものとしては低反発枕などですね。低反発の枕も頭を乗っけると頭の形にクッションも変形します。

※ゲル状：直径 1 ～ 100nm の微小粒子が液体に均質に混じっているコロイドと呼ばれる溶液が
　　固体状になったもの。

そして、頭を持ち上げても元の平らな形に戻るまでしばらく時間がかかります。卵が落下しても割れないゲルは、同じような性質を持っています。このような性質を「粘弾性」と言います。

　世の中に存在する材料にはさまざまなものがあります。受けた荷重を一旦変形することによって受け流し、そのまま反発するタイプのものです。このような性質が、これまでにも出てきた「弾性」です。私たちがよく使うゴムがもっともその性質を顕著に表しますし、台所のスポンジもそうです。もちろん金属も永久変形をしなければ弾性の材料です。完全な弾性の材料であれば、変形しても荷重がなくなれば即座に元の形に戻ります。

　それとは別に「粘性」と呼ばれる性質を持つ材料もあります。「粘」という字から想像がつくかもしれませんが、粘度があってドロドロしているような性質です。粘度が低い液体は水のようにサラサラしていますし、逆にかき混ぜるのも大変な水飴はドロドロしていて粘度の高い物質ですが、いずれにしてもこちらは「液体」の部類に属するものです。完全に粘性の材料であれば、変形するともとの形には戻りません。

　さて、衝撃を受け止める側の材料で大事なのはどのくらい変形できるかということです。バンジージャンプのところでもお話をしましたが、変形量が非常に小さい場合、急減速によって非常に大きな加速度が発生し、したがって落ちてくる物体に加わる衝撃力も非常に大きなものになります。エアクッションは、大きく変形することによってその衝撃吸収を可能にしています。空気は非常に粘性の低いものなのでモノが落下してきた時もすぐに変形することで、力を受け流しますが、受け流しすぎて落ちてきたものを支えることができません。実は水も普通に考えれば粘性は高くなさそうですが、非常に速い速度で落下してきたものを受け止めるには粘性がまだ高いのです。皆さんの中にはプールの飛び込み台からジャンプして、頭から水に飛び込むかわりに「腹打ち」をしたことがある人がいるか

もしれません。飛び込み台からの高さなので大した高さではありませんが、とてつもなく痛いと思います（筆者にも経験あり）。実は高速でぶつかるものに対しては結構硬いのです。

エアクッションの場合には、空気はある程度変形したままになり、その一方でクッション材の弾性がある程度変形したところで形を保って、落ちてきた人を支えるような状況になっています。

あらためて人が落下した時の挙動を見ると、人がクッションの上に落下してクッションが大きく変形し、あるタイミングでその変形の挙動が止まります。そして、そのままバウンドすることはなく、無事に人がレスキューされた後に、そのクッションは（必要があれば）使用前の形になるように膨らませられます。もちろん空気が入っているクッション自体は破れない限り大きく伸びたり縮んだりしないので、そのままでは変形量に限りがあります。そこで、人が落下したタイミングで制御された状態で空気が抜けていき、クッションは落ちた人に合わせて変形をしていきます。空気がある程度抜けているので、すぐに元の形には戻らず、人が降りた後にまた膨らませて元の形に戻ります。

つまり、一旦荷重によって大きな変形を粘性によって生じるのですが、除荷された後は時間をかけて元の形に戻ります。

ちょっと無理やりな言い方をすると、このような挙動を「粘弾性」と言えそうです。粘性材料のように力が加わったときには変形したままの挙動になるのですが、その後時間をかけて元の形に戻るような挙動のことです。人をレスキューするマットの場合には、それを機械的に構造で実現していますが、卵が落下しても割れないゲル材の場合には、材料そのもので粘弾性の挙動を実現しているのです。

ちなみに、粘弾性はコンピューターで扱う数値計算的には、バネとダッシュポットで表現します。ダッシュポットとはダンパーとも呼ばれて粘性摩擦を利用して動きを遅くしてエネルギーを吸収する機械装置です。ダッシュポット自体も

私たちは日常に使っていて、例えば重たいドアについているクローザーがそうです。何もクローザーがついていないドア、例えば蝶番のみの部屋の扉などを勢いよく開いたりするとドンと壁にぶつかってしまいます。通常は壁のほうにダメージがいかないように、ドアの上部に棒とゴム製のクッションなどがついていることが少なくありません。この場合確かに直接的に壁にダメージはありませんが、

ドアは勢いよく弾むかもしれませんね。しかしクローザーがあるドアだと、勢いよくドアを押してもその勢いは吸収されて止まり、その後にゆっくりと元の閉じた状態の位置に戻ってきます。これが粘弾性の挙動です。

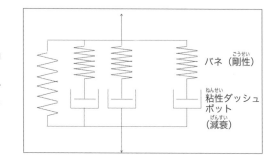

バネ（剛性）

粘性ダッシュ
ポット（減衰）

減衰について考えてみる

　もう一つ考えなくてはいけない重要なことがあります。それが減衰（110ページ参照）です。卵をゲルに落下させる動画などを見ると、ほとんど弾んでいません。吸い付いているように止まっています。普通の物体だとある程度弾むのに不思議ですね。

　これを上の図で考えると、ダッシュポットの部分で衝撃を吸収することになりますが、見た目としては変形することによって衝撃を吸収することになるのです。ダッシュポットの部分がクシャッと潰れて、それによって衝撃が吸収されれば、卵はなんだか大丈夫そうな気がしてきましたね。

　さて減衰について考えてみたいと思います。ここでは卵の代わりに完全に弾性体のボールを使って考えます。普通に考えてもボールは床に落とした時に、弾み

ますが元の高さには戻りません。この時に床から弾んだ高さで表現できるものを
貯蔵弾性率、元の高さと跳ね返った高さの差を損失弾性率と言います。これらの
貯蔵弾性率と損失弾性率の差を損失係数（跳ね返り係数）と呼び、あるいは以下
の式のような損失正接と表現します。

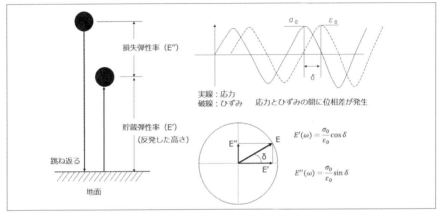

$$\text{損失正接} \quad \tan\delta = \frac{E''}{E'}$$

この時の δ の値が大きいほど、つまり損失弾性率が大きいほど大きなエネルギー
を吸収することが可能になり、つまり卵が割れずにいられる理由になるのです。

　ということでバネとダッシュポットの話に戻りますが、バネとダッシュポット
を直列につないだり（マックスウェルモデル）、並列につないだりすると（フォー
クトモデル）世の中の粘弾性材料のモデルをコンピューターで計算することがで
きるようになるのです。とりあえず、ここでは、コンピューターでは現実のこの
ような現象をバネモデルとダッシュポットモデルで表現している、ということを
知っていただければそれで OK です。

　さて、ここまでが衝撃を受け止める側のお話でした。そう言えば、まだ卵の殻

そのもののお話をあまりしていませんでしたね。卵の殻と言ってもさまざまで、例えばダチョウの卵は殻も非常に厚くて頑丈でちょっとやそっとの衝撃では割れません。その一方、私たちが日常的に食す、ニワトリの卵は殻も薄く割れやすいものが多いですね（ブランドによってはかなり頑丈なものもあるようですが）。で、その卵の殻の強度はどのくらいあるのでしょうか。

いくつかの実験結果がありますが、ある論文のデータを用いると、卵の殻のヤング率が7760MPa、引張強度が2MPaとされています。ちなみに、卵の殻と一緒にある膜はヤング率が4.38MPa、引張強度が2.23MPaです。卵の殻の強度という意味では、今回膜は考えなくてよいでしょう。殻はほぼ伸びることなく、いきなり割れてしまう脆性材料なので挙動としては、数値計算を行う際には応力の値が2MPaに達した段階で割れると考えてよいでしょう。

ここで粘弾性とこれまでにでてきた弾性も含めてまとめてみたいと思います。一般的なゴムも含めて「弾性」の物性を持つものは、その挙動として荷重に比例して、その弾性率に比例して変形し、除荷すれば瞬時に反発して元に戻ります。荷重がかけられた際のエネルギーはすべて貯蔵されています。

粘性の場合はどうでしょうか。荷重がかけられれば変形するという点では同じですが、エネルギーは貯蔵されることなく、すべて損失となり、除荷しても元の形には戻りません。この二つの間の性質を持つものが粘弾性ということになります。粘弾性の物性を持つものは、エネルギーの一部が損失し、一部が貯蔵されます。この割合の違いでより粘性の特徴がはっきりと出ているのか、あるいは弾性の特徴が目立つのかが変わってきます。まとめると次のようなものになります。

材料の種類	除荷時の材料の応答	外力の変換
弾性体	瞬時に元の形状に戻る	貯蔵
粘性体	元の形状に戻らない	損失
粘弾性体	時間をかけて元の形状に戻る	貯蔵＋損失

この Part の最後に卵程度の重さの球を 50cm の高さから床に落下させた時の比較をしてみたいと思います。片方はプラスチック製の床でもう片方は粘弾性の特徴を持つ樹脂の上に落下させてみます。落下させる球はアルミ製を想定しています。

　この結果についてですが、静止画で様子を示すことが難しいので、落下した時の変位の履歴をグラフにして確認してみたいと思います。床から球の中心の高さを 50cm にしているので、床についた時が 45cm 分の落下になります。なお、簡易にセットアップしたモデルのため、実験とは異なることが考えられるのでご了承ください。

　普通のプラスチック製の床の場合が左下のグラフです。この場合は最初のバウンドで元の高さの半分くらいまで跳ね返り、約 1 秒の間に 3 回のバウンドをしています。

　次に粘弾性の床の状況の場合が右下のグラフになります。この床の場合、さすがに床に貼り付くようにとはいきませんが、普通のプラスチック製の床と違って弾みの量が少なく 1 秒の間にほぼバウンドがなくなってしまっていることがわかります。落下の様子を動画で見ると 1 秒後にはほとんど止まった状態になっています。

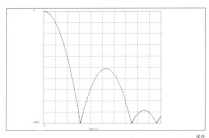

プラスチック製の床

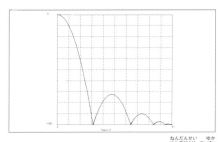

粘弾性の床

Part22 電車のレールに隙間がある話

日本でも地方では自動車の移動がほとんどという人も多いと思いますが、都会では電車移動が多いですね。その電車につきものと言えば、ガタンゴトンという継ぎ目を渡る音ですね。ところで、その継ぎ目には隙間がありますが、なんで隙間なんてあるんでしょうね。

1 ○○駅
線路が曲がったため
運休です
えーー！？

2 おねえちゃん、
なんで線路が
まがっちゃったの？

3 あなたは、電車のガタンゴトンって音が気にならない？　あれは線路に隙間があるからだけど、それが、線路が曲がっちゃったことに関係があるの

4

物知りなリンちゃんのお友だちのカオリちゃん。とっても弟思いのやさしいお姉さん。

レールの伸び縮みを吸収する隙間

　ちょっとでも電車のレールに興味を持ったことがある人であれば、ひょっとしたら電車のレールの間に隙間があいている理由を聞いたことがあるかもしれません。

　先に結論を言ってしまえば、レールの伸び縮みを吸収するためです。そんなに日頃から注意をして見ている人は多くないかもしれませんが、あらゆるものは、その程度の差こそあれ、温度の変化に応じて伸びたり縮んだりするのです。コーヒーやお茶を淹れる時にやかんを使うのであれば、冷めた状態の時とお湯が沸騰した時であれば寸法は変わっているはずです。ほとんど目視では確認できないかもしれませんが。

　その物体の材料の種類や大きさによって、ほとんど目立たないこともあれば、その製品の挙動に大きな影響を与えるくらい大きな変形をすることもあります。そして、その目立つほうがレールというわけです。

　さて、それでは隙間がないとどんな悪いことが起きるのかを考えていきたいのですが、その前に2つの知識についてお話ししておきましょう。

　その1つ目は「熱膨張」で、もうひとつが「座屈」です。

　まず熱膨張についてお話をしましょう。

　私たちの身の回りの製品に荷重がかかる要因は、これまで説明してきたような外力だけではありません。ちなみに、これまでお話をしてきたような荷重を機械荷重と呼ぶこともあります。ほとんどの製品は部品が一つだけではなくて、複数の組み合わせでできあがっています。そして、その製品が使用されている周囲の温度は一日の間に上がったり下がったりします。そのことによって、部品はどれも伸びたり縮んだりします。結果的に部品どうしの組み合わせがユルユルになったり、キツキツになったりします。ユルユルの時には、どちらの部品にも荷重は

かかっていないフリーな状況ですが、キツキツの時には熱で膨らんだばっかりにお互いに押し合っている状態になっているというわけです。

　さて、その部品がどのくらい伸びたり縮んだりするのか、ということは材料特有の物性に依存します。その物性のことを「線膨張係数」とか「熱膨張係数」と言います（164ページ参照）。例えば線路などに用いられる「鋼」全般は、約11.1x10⁻⁶/℃という値になります。この値を使って実際の伸び縮みを表す式は以下のようになります。

$$（寸法の変化量）＝（線膨張係数）×（元の長さ）×（温度の変化量）$$

　式としてはシンプルですね。

　さて、線路のレールとレールの間の隙間はどのくらいあいているのでしょうか。定尺レールと呼ばれる1本あたり25メートルのレールの場合には、0℃の時に13mm程度の隙間になるように設定されているようです。なお、ここで注意したいのは、この温度は周囲の環境の温度ではなくてレールそのものの温度だということです。特に真夏の暑い時期のよく晴れた日にレールに直射日光が当たれば、50℃から60℃といったやけどをしそうな温度になることも考えられます（真夏の公園に置いてある金属製の滑り台を触ったことがあれば、どのくらい熱くなるか想像できるかもしれませんね）。

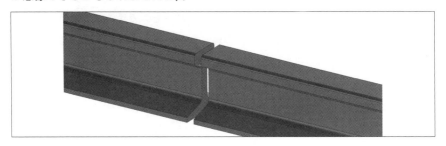

その一方、地域にもよりますが、真冬には周囲の環境も氷点下を下回ることも珍しくありません。ということで、年間を通して日本の鉄道のレールがさらされる環境は案外厳しく、温度の変化量が 60℃から 80℃になることも考えられます。ちなみに、JR などの線路では設計上想定されている最高の温度は 60℃とのことで、それを超えると歪んでしまう可能性があるということです。

ちなみに、仮に線路が 0℃の時に、25000mm（25m）だとして、60℃になったら、その伸びは以下のように計算できますね。

ここでは、線膨張係数を 1.2x10⁻⁵/℃としてみます。

$$伸び = 1.2 \times 10^{-5}/℃ \times 25000mm \times 60℃ = 18mm$$

片側が 9mm ずつ、両側から伸びてくるので、0℃の時の隙間が、13mm だとすると、5mm は隙間よりも大きな伸びが生じてしまいます。このような状況になってしまうと、線路どうしが押し合うようになってしまいます。レールそのものは圧縮の力がかかっているような状況ですね。ところで、引張りの力がかかる時、何も障害物がなければ、ヤング率にしたがって伸びていきますが、圧縮でもどんどん縮むことができるのでしょうか。

ということで、次のポイントである「座屈」を考えてみたいと思います。座屈とはあまり聞き慣れない言葉かもしれませんが、案外馴染みのある挙動です。例えば、皆さんは飲み終わった空き缶を上から踏んで潰したことはあるでしょうか？　スチール缶はちょっと厳しいかもしれませんが、アルミ缶の場合には案外に簡単にクシャっと潰れてしまいます。その簡単に潰れてしまうアルミ缶も、いくら力持ちだからって引っ張って変形させろと言われたら多分無理だと思います。あるいは曲げろと言われても無理でしょう。ところが、思いっきり踏むよう

な力は必要かもしれませんが、圧縮するとあっけなく崩れ落ちるように潰れてしまいます。実は、これが座屈と呼ばれる現象なのです。

硬いレールが曲がるわけ

橋や建物など、その構造やどのような荷重がかかるのかにもよりますが、構造物によっては引張りや曲げの挙動を計算するだけでは不十分な場合があります。全体としては大きな力に耐えることができたとしても、一部の部品に大きな圧縮荷重がかかって壊れてしまうことがあります。そのため必要に応じて「座屈」の計算をする必要があります。座屈には線形座屈と非線形座屈と呼ばれるものがありますが、このレールの説明では線形座屈について説明します。

実は、真夏に線路が大きく歪んでしまったような写真を見たことがある人もいるかもしれませんが、これは座屈によるものです。紙のグラインダーのところで引張荷重がかかることでその物体の剛性が上昇することをお話ししましたが、それとは逆に圧縮応力は剛性を低下させる働きをします。

(A) 上面中央に荷重を載荷　　荷重

(B) 先に圧縮してから荷重を載荷　荷重②　　荷重①

両端支持で中央に荷重を載荷

上の図では、Aが中央に下向きの荷重を載荷するだけですが、Bでは、最初に

198

右から圧縮するような荷重をかけ、その後にＡと同じ大きさの荷重を載荷します。
つまり、右からの圧縮があるかないかの違いとなります。

　コンピューターによるシミュレーションの結果は以下のようになりました。

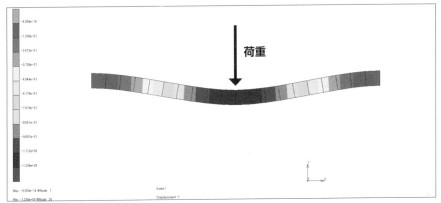

Ａのケースの変形量：中央部分で1.236mm

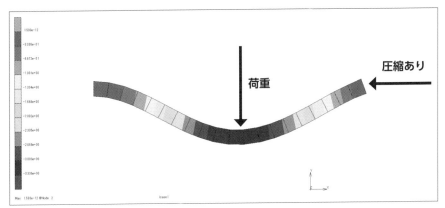

Ｂのケースの変形量：中央部分で3.336mm

　より大きく変形するということは剛性が低くなっているということです。この
ように圧縮する力には剛性を低下させる効果があるのです。

そして、ある応力のレベルになると剛性（ごうせい）がなくなってしまうと考えますが、これが座屈荷重になります。そのため、とても曲がりそうも無いような鋼鉄のレールが飴細工（あめ）のように曲がってしまうのです。

ちなみに、同じ材料でも座屈（ざくつ）しにくい場合としやすい場合とがあります。基本的には細長い形状は座屈（ざくつ）しやすい形状です。線路がまさにそうですね。定尺レールは 25m ですが、仮に同じ断面でも長さが 10cm だったとしたら同じ材料でもはるかに座屈（ざくつ）しにくくなります。また、その棒の両端（りょうたん）がどのように固定されているかでも座屈荷重（ざくつ）は変わります。例えば、片方を固定端（こていたん）、もう片方を自由端（じゆうたん）にして、自由端（じゆうたん）に荷重をかけた場合には、座屈荷重（ざくつ）は以下のような式で計算することができます。

$$P_{cr} = \pi^2 \left(\frac{EI}{4L^2} \right)$$

ここで、Pcr は座屈荷重（ざくつ）、π は円周率、E が剛性（ごうせい）、I が断面二次モーメント、L が棒の長さになります。要するにこの Pcr 以上の荷重がかかってしまうと、棒は座屈（ざくつ）してしまうのです。

では、今回の線路のケースで、線路の温度が 60℃ まで上がったケースでは大丈夫（だい）なのでしょうか？　手計算でこの線路の断面の断面二次モーメントを計算するのはちょっと面倒（めんどう）なので、それも含めて座屈荷重（ざくつ）をシミュレーションソフトで計算してみます。

求められた座屈荷重（ざくつ）（Pcr）は、1286N でした。

これと実際に熱で発生する伸び（の）の解析（かいせき）を行ってその際に発生する力を見てみたいと思います。このケースでは、長さが 25000mm のレールを 2 本用意して、その間に 13mm の隙間（すきま）を設けました。ただし、レールの接触面（せっしょくめん）と反対側の面を固定したため、本来の線路では期待できる反対方向への伸び（の）が抑え（おさ）られてしまう

ので、この場合は、30℃の温度上昇で、0℃から60℃までの温度上昇と等価になると考えられます。

　このような条件を用いて、コンピューターでシミュレーションしたところ、以下のような結果になりました。

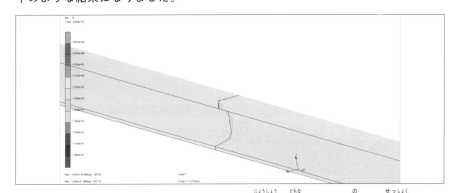

　当初は全く発生していなかった応力が温度上昇に伴う線路の伸びで接触するとともに圧縮の応力が発生していることがわかります。なお、本来の線路であれば、座屈が発生するおそれがありますが、今回のシミュレーションの設定では、そのまま圧縮が大きくなっていきます。なお、このタイミングが、0℃から約29℃ほど温度が上がったところです。前述の計算式上では、線路一つで8.7mmの伸びが想定されますから、合わせて17.4mmになります。したがって伸びしろを使い切って、大きな圧縮がかかっていることになります。この際に、レールの反対側の端面にかかる反力を計算してみると、直前のステップ（未接触状態）まで0（当然ですね）だった反力が、このステップでは、53479Nになっています。先ほど求められた座屈荷重と比較してもかなり大きな値です。

　ということで、あまりにも気温が高い日にレールが座屈して、曲がってしまうのは納得ですね。

引張りと圧縮の技で
できた橋の話

{Part23}

橋の形ってある程度決まっているように思いませんか。例えば電車が走る鉄橋であれば側面が三角形の構造になっているとか、さらに大きな橋だと吊橋だったりとか。あとは昔のアーチ橋とか眼鏡橋ですね。でも、どうして同じような形をしているんでしょうか。

小川に渡すようなごくごく小さな橋であれば、それほど気にする必要はありません。その辺の板を渡しても折れてしまう危険はすくないでしょうし、もう少し大きな橋が必要であれば、頑張って丸太を渡せば強度的には大丈夫です。

ところがもっと大きな橋になると、それなりにバリエーションはあるものの、根本的な構造を見てみると、ほぼ同じではないかというものがたくさんあります。たくさんある、ということはその形をしていることが構造物の目的を果たすために都合が良いということですね。大きな構造物は人の生活を支え、命を支えるものがたくさんあります。ということは、その形こそに力学的な意味があるということになりますね。

橋に必要な条件は単純と言えば単純です。その橋を渡る人やものが渡っている途中で折れないような強度が必要ですね。これは基礎知識編で学んだ知識を応用すれば、ざっくりとは計算をすることができます。また、折れないだけでなくて、変形も大きくては困ります。みなさんが瀬戸大橋を自動車で渡っている時に、橋の中央で大きくたわまれては困りますよね。要するに変形と発生する応力が許容範囲内に収まるように設計するということですね。

強度の話だけを考えれば、橋の肉厚をすごく厚くすればたわまなくなります。これは基礎知識編で出てきた断面二次モーメントを大きくすると剛性が高くなる、という知識の応用です。では、瀬戸大橋もそんな感じにしたらどうでしょうか。工事が現実問題としてできるできないはさて置いて、それほどの剛性を持つ肉厚を考えると、橋の断面が極端に大きくなってしまいます。さらに、そんなに断面を持つ橋だと、そもそも橋の自重でさらに大きくたわむ、なんてわけのわからないことになります。

私たちが日常的に扱う小さな製品だと、自重での変形はあまり意識しないと思います。気にするほど変形しないことが多いからです。しかし、ビルや橋など、非常に大きな建物は、自重だけで大きくたわんでしまうので、それを見込んだ設

計や建築をする必要があります。同時に、いかに軽い構造で同じだけの重さをささえ、変形を抑えるかということが設計の肝になってくるわけですね。ということで、登場してきたのが現在存在するさまざまな橋の構造なのです。

力を圧縮力に変えて耐えるアーチ橋

　まず、眼鏡橋のような構造を考えてみましょう。橋げたのところが、アーチ状の円弧を描いているとか、それらが複数組み合わさって眼鏡のように見える橋のことです。ちなみに、アーチ状やドーム状の構造になっているのは、橋だけではありません。西洋の歴史的建築に多く見られますが、屋根が大きなドーム状になっている建物もあります。これらは、実は力学的にはどれも同じような構造であるということが言えるのです。

　ということで、そのしくみを見てみます。

　アーチ橋とか眼鏡橋というと、このような構造物を思い出すと思います。

ローマの水道橋（Wikipedia）　　　　　　　　長崎の眼鏡橋（Wikipedia）

　また、現代の橋にもアーチ構造を利用したものがたくさんありますが、とりあえず、昔からあるアーチ橋を考えてみたいと思います。

特に昔のしっかりした橋には、このような構造が見られますが、その理由は構造上の理由とともに、橋に使用している材料にもあります。まず、構造のことを考えてみましょう。

　アーチの部分を図解するとこんな感じになります。

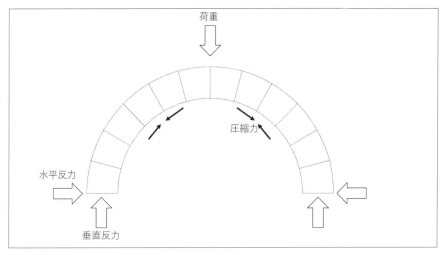

　上から荷重がかかっていてアーチの下の部分は固定されています。で、このアーチの構造を構成する個別の部材のことを考えてみましょう。橋の上を通る人やものはとりあえずさておき、このアーチにかかる一番の重さは橋そのものといってよいでしょう。つまり、重力によって自重が発生するわけです。自重によって発生する力は、アーチ橋では部材に対して「圧縮力」を発生させるような構造になっています。で、特徴はこの圧縮力が主たる荷重で曲げは全体としてみると比較的小さいということにあります。

　一般に多くの材料では、せん断や曲げの荷重がかかる場合よりも、引張りや圧縮の荷重に対するほうが強いことがほとんどです。つまり大きな曲げ力が発生する水平の梁を使うよりも、より長い橋のスパンを支えることが可能になります。

また、昔のアーチ橋は基本的に石造りですが、石やコンクリートは圧縮には強い材料なので、このような用途には最適というわけです。

　下を固定して上部の頂点に下向きに荷重を載荷して解析ソフトで計算した例を見てみましょう。

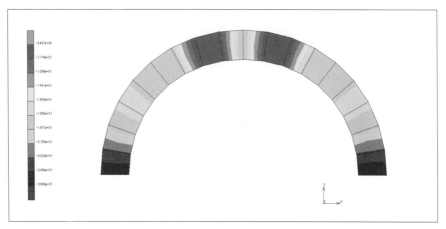

　図中の数値は読みにくいかもしれませんが、すべてマイナスの値なので、全体に圧縮の荷重がかかっていることが分かります。

　当然ながらアーチ橋を使用する上では、水平方向の反力をしっかりと支えるだけの地盤が必要となるようですね。

軸力で耐えるトラス構造の橋

　現代の橋の形で印象的なのは、日本の津々浦々にある鉄橋ではないでしょうか。鉄橋の形にもさまざまなものがありますが、鉄橋と聞いて思い浮かべる形は、右ページの図のようなものではないでしょうか。

三角形のトラス構造の鉄橋

　実はこのように三角形を組み合わせて作るような構造を「トラス構造」と言います。逆にトラス構造と呼ばれているものは必ず三角形のみで構成されています。では、なぜ三角形かというと三角形は強い構造だからです。三角形と四角形で比<ruby>較<rt>かく</rt></ruby>してみましょう。右方向から頂点に荷重をかけてみましょう。それぞれの部材が<ruby>壊<rt>こわ</rt></ruby>れなかったとしても簡単に<ruby>倒壊<rt>とうかい</rt></ruby>してしまいますが、三角形は<ruby>壊<rt>こわ</rt></ruby>れません。ということで、トラス構造が用いられているのです。

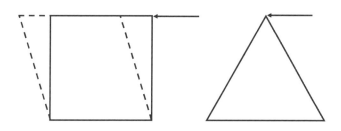

トラス構造における軸の接合部には「ピン接合」が用いられます。ピンのところでそれぞれの軸はヒンジのように回転するため、曲げモーメントが伝わらずに力はすべて軸力になるというわけです。このピン接合に対応する言葉としては剛接合といいます。この場合には、接合部は固定されるためモーメントも伝わります。剛接合を使う構造を「ラーメン構造」と言います。なお、食べるラーメン（拉麺）とはまったく関係なく、ドイツ語の Rahmen（額縁）です。それぞれに特徴があり、ラーメン構造は中高層の鉄筋コンクリートの建物によく用いられ、今回話題のトラス構造は橋梁や体育館等の大型大空間が必要な建築物の屋根などによく用いられます。

　さて、脱線した話を元に戻しますが、トラス構造を使用するメリットは、軸力のみしか作用しないということです。応力も引張りか圧縮かということになります。アーチの時にもお話をしましたが、部材は引張りや圧縮（座屈には注意する必要がありますが）、曲げ荷重に弱いことの方が多いのです。それに三角形はその構造上安定しています。

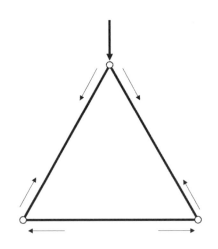

なお、トラスでできた構造は正三角形ばかりでできているわけでもありません。鉄橋の構造を見ても、教科書的なトラス構造もあれば、プラットトラスやハウトラスと呼ばれるトラス構造もあります。これらはどちらも、鉛直の部材と斜めの部材で構成されていて、それぞれ役割をわけています。ただ、どちらにしても「三角形」で構成されていることに変わりはありません。

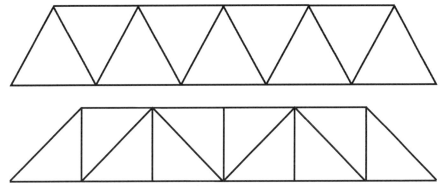

さまざまなトラス構造

　ところで、実際の鉄橋を見たことがある人であれば気がつくかもしれませんが、本当にすべてのトラス構造がピン接合で組み立てられているわけではありません。実際に近くでみると剛接合になっていることも珍しくありません。
　これには実はちゃんとした理由があります。実はピン接合で施工するのはかなり手間がかかる作業なのです。また、個別の三角形としては良いのですが、橋全体でみると剛性に欠けるところもあります。さらに、大型の重量のある建築物ではそもそもピンと穴に相当な摩擦もかかる上に時間をかけて穴も変形していまいます。最終的にはそのピンとピン穴自体が構造上の弱い部分になってしまいます。そのため、実際には剛結合としたほうが橋全体の剛性を向上させるメリットや耐久性の意味でもメリットがあるのです。

これもやっぱり引張りと圧縮の吊橋

橋と言えば外せないのが吊橋です。橋のスパン（基本的には両端長）の長さが、200メートルを超えてくると多く橋が吊橋、あるいは斜張橋という構造の橋になってきます。吊橋はとりわけ大きな橋の構造に用いられ、世界最大の吊橋である明石海峡大橋も吊橋です。この橋は2つの主塔の間の距離が1991メートルというとてつもない橋です。

さて、このような吊橋を力学的に考えてみると実は、これまた引張りと圧縮の力を支えるような構造になっているのです。

ということで、吊橋の大まかな構造を見てみましょう。

明石海峡大橋のような構造を例に取ると、橋の本体とも言える橋桁と橋桁を地面から支える主塔が二本あります。そして、2つの主塔と両側の端の部分（アンカレージといいます）の間に長大につながっているメインケーブル、メインケーブルと橋桁をつなげているハンガーケーブルが主な構造物になります。

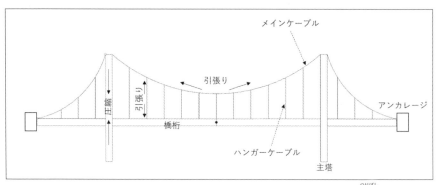

吊橋の構造の一例

吊橋の場合には、構造物とそこにかかっている力はこの図のように、2つの主塔には圧縮の力がかかります。それ以外の2つの主要な構造物、つまりメインケー

ブルとハンガーケーブルには、引張りの力のみがかかります。言ってみれば、これらのケーブルがすべての力を負担するため非常に大きな役割を追っています。これらのケーブルは優美な曲線を描いてたわんでいますので、もちろん太い一本の鋼材の棒でできているわけではありません。明石海峡大橋のメインケーブルは細い鋼線がより合わさった構造になっています。このケーブルの一番細い単位は素線と呼ばれています（それでも直径は 5.23mm あるそうですが）。その素線を127 本束ねてストランドと呼ばれる鋼線の六角形の束にします。さらにそのストランドを 290 本束ねてメインケーブルになります。メインケーブルは、これが左右で 2 本ありますから、トータルで 72,760 本もの素線でできているというすごいものです。

　ちょっと脱線しますが、これらのケーブルが腐食してしまえば（非常に厳しい自然環境の中で使用されているわけです）強度は低下してしまいますから、その表面はカバーされていて、さらに脱塩、乾燥した空気を送るという手間がかかって、この橋が維持されているわけです。

　ということで、ここまで、さまざまなタイプの橋梁の話をしてきましたが、一つ共通することがあります。それは、荷重をできる限り、軸力で引張りや圧縮という荷重で受けているということです。基本的に曲げやせん断の力に対しては構造物は、引張りや圧縮と比較すると弱い傾向にあります。そのため、さまざまな方法で軸力だけで対応できるような構造になっているのですね。

　それから、おまけ、ではないですが、トポロジー最適化という計算を行うシミュレーションソフトでコンピューターに作らせた橋の形を見てみたいと思います。

　ソフトでは設計空間として、橋桁（次ページ図の直方体の下の面）とその上の空間を定義します。直方体の両端を固定し、橋桁の自重のかわりに、直方体の下の面に荷重をかけます。この条件を設定した時に、コンピューターはどのような形状が、今回の荷重を支えるために最適なのかということを計算しました。

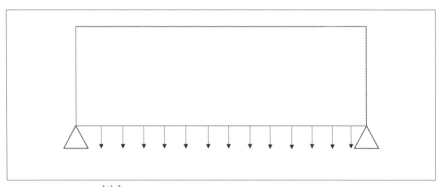

計算した結果は興味深いもので、以下に示すような形状になりました。

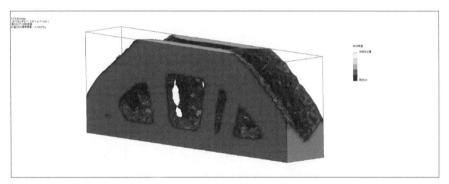

この形は、さまざまな場所で見られる現在のアーチ型の橋にかなり似た形状です。

昔から、使われてきた形は力学的にも筋のとおった形であるのですね。

おわりに

　最後までお読みいただきありがとうございました。私たちが身の回りで使っているさまざまな製品、あるいは話題になっている製品がなぜ壊れないのか、あるいはなぜ壊れてしまうのか、興味を持っていただけましたでしょうか？　IT全盛で「バーチャル」も一般的になった現在ですが、私たちが「リアル」な存在である以上、「モノ」が私たちの周りから消えることはありません。それどころが、モノもまた日々進化しています。壊れない、安全なモノを作る、というのは実はチャレンジングでワクワクする世界です。そこにはさまざまなな先進的な技術が使われていますが、それらは本書で説明しているような基礎的な技術が土台になっているのもまた事実です。本書によって、もうちょっと詳しく知りたい、深く学んでみたいと思っていただけたら幸いです。興味をもった人、本書ではアバウト過ぎると思った人はぜひ、一歩進んだ本を読んでみてください。きっとさらに面白い世界が広がっています。

　今回、技術の本を、技術を専門とされない方向けに書くというチャレンジは、筆者にとって予想以上に大きなもので構想から完成まで3年近くかかってしまいました。心が折れかけた筆者を後押ししてくださった出版社ジャムハウスの池田社長と編集の岡本さん、漫画やDTPを快く引き受けてくださった筆者の知人でもあるHOPBOX代表であった福井信明さんとスタッフの祖父江さん、酒井さんに感謝いたします。皆さまのお力なくして本書は完成しませんでした。本書執筆中に福井さんが急逝され、完成した本書をお目にかけられなかったことが残念です。あらためて福井さんにありがとうと申し上げます。

　最後に筆者の拙い文章に目を通していただきアドバイスをくださった法政大学理工学部の御法川学教授にもお礼を申し上げます。

水野 操

[著者紹介]

水野 操(みずの みさお)

1967年東京生まれ。1992年 Embry-Riddle Aeronautical University(米国フロリダ州)航空工学修士課程終了。 2004年にニコラデザイン・アンド・テクノロジーを起業し、代表取締役に就任。オリジナルブランド製品の展開やコンサルティング事業を推進。 2016年に、3D CADやCAE、3Dプリンター導入支援などを中心にした製造業向けサービスを主目的としてmfabrica合同会社を設立。さらに2017年に高度な非線形解析や熱流体解析業務を展開する株式会社解析屋の設立に参画。 2018年6月からは法政大学アーバンエアモビリティ研究所の特任研究員も務めている。主な著書に『わかる使える3Dプリンター入門』(日刊工業新聞社)、『3Dプリンター革命』(ジャムハウス)、『あと20年でなくなる50の仕事』(青春出版社)など。

●万一、乱丁・落丁本などの不良がございましたら、お手数ですが弊社までご送付ください。送料は弊社負担でお取り替えいたします。

●本書の内容に関する感想、お問い合わせは、下記のメールアドレス、あるはFAX番号あてにお願いいたします。電話によるお問い合わせには応じかねます。

メールアドレス◆ mail@jam-house.co.jp　FAX番号◆ 03-6277-0581

「ときめき×サイエンス」シリーズ⑤

モノが壊れないしくみ

2020年8月20日　初版第1刷発行

著者	水野 操
発行人	池田利夫
発行所	株式会社ジャムハウス 〒170-0004　東京都豊島区北大塚2-3-12 ライオンズマンション大塚角萬302号室
編集	岡本奈知子
カバーデザイン	澤田京子
本文デザイン	祖父江香理
マンガ・イラスト	酒井由香里
印刷・製本	シナノ書籍印刷株式会社

ISBN：978-4-906768-80-6
定価はカバーに明記してあります。
©2020
Misao Mizuno,JamHouse
Printed in Japan